COLLECTION BEST-SELLERS

JANINE BOISSARD

ALLEZ, FRANCE !

roman

ROBERT LAFFONT

ISBN 978-2-221-10837-6

*Merci tout spécialement à mes « poisons »,
Alice et Élodie, pour m'avoir ouvert grande la
porte de leur école.*

*Merci aussi à mes autres petits-enfants
qui m'ont initiée au vert parler d'aujourd'hui.*

J'vous M grave.

1

On est tous frères

Aujourd'hui, 3 septembre, c'est la rentrée dans ma nouvelle école, tout près de la rue où j'habite avec maman depuis le divorce.

Elle m'y conduira chaque matin avant de prendre le métro pour aller travailler dans sa grande surface, et le soir, après l'étude, je rentrerai toute seule à la maison en respectant les feux sur le boulevard et en criant très fort si un monsieur propose de me ramener, même s'il jure qu'il est un ami de la famille, le docteur de l'école ou un agent EDF. Si tu dis oui, il te kidnappe, il se livre à des touche-touche, et après, s'il ne cache pas ton corps dans la forêt, tu te retrouves dans un pays étranger en train d'arrêter les voitures, comme les filles en bottes qu'on voit sur l'avenue la nuit, même que parfois c'est des garçons.

Quand on est arrivées dans la cour, tout le monde criait, surtout les maternelles qui se débattaient pour que leur papa ou leur maman les abandonnent pas. La rentrée, c'est dur aussi pour les parents. Ma maman à moi m'a montré la pancarte CM1, elle a dit : « Je te laisse, mon chat. Courage ! » avec un bisou mouillé qui me l'a enlevée et elle s'est sauvée.

Sous la pancarte, il y avait déjà plusieurs enfants qui se

connaissaient. Une fille a vu la boule qui gonflait dans mon cœur et elle m'a demandé si j'étais nouvelle. Elle, elle était ancienne et si je voulais, elle serait ma copine et m'aiderait à m'intégrer. J'ai dit : « oui ». Elle s'appelle Fatima, moi, c'est France.

Presque tout de suite, la cloche a sonné et Mme la directrice, une dame en jupe et talons comme grand-mère, est montée sur les marches. Elle a réclamé le silence et elle a dit avec entrain :

— Je vous souhaite la bienvenue. Je compte sur vous pour faire honneur à votre école, être polis et disciplinés, ne jamais parler en classe sans lever le doigt. Ceux dont les mamans ont oublié de les inscrire à la cantine devront sans faute rapporter la fiche remplie dès demain matin, j'ai bien dit : SANS FAUTE.

Là, on a eu l'impression qu'elle grondait les mamans. Après, elle nous a regardés dans les yeux et elle a ajouté :

— Et surtout n'oubliez pas que vous êtes tous frères.

Les maternelles, petite, moyenne et grande section, sont rentrées en pleurant au rez-de-chaussée. Les CP, les CE1, les CE2 et les CM2 ont suivi leurs maîtresses dans l'escalier pour rejoindre leurs classes à l'étage. Et nous on est restés en plan.

Quand Mme la directrice est venue sous la pancarte CM1 avec un monsieur supermignon, plutôt l'air d'un grand frère, elle avait l'air salement embêtée.

— Je viens d'apprendre que votre maîtresse est en arrêt maladie depuis ce matin, elle a annoncé. M. Victor, notre nouveau surveillant, a accepté de la remplacer momentanément. Je suis sûre que vous aurez à cœur de lui faciliter la tâche.

Pile à ce moment, il y a eu de la musique dans sa poche. Elle nous a demandé pardon et elle s'est éloignée en parlant très fort dans son portable. La rentrée, c'est dur aussi pour les directrices.

— Vous pouvez m'appeler Hugo, a dit M. Victor. Eh

oui : Hugo Victor... Il y a des parents qui ont des drôles d'idées, vous ne trouvez pas ?

Nous, on trouvait pas, et Hugo c'est plus joli que Victor.

— Et maintenant, en route mauvaise troupe ! il a ajouté.

On a ri à cause du « mauvaise troupe » et on s'est mis en route jusqu'à la classe qui sentait pareil que dans mon ancienne école et ça m'a rassurée.

— Je vous laisse choisir vos places, a dit Hugo.

J'ai choisi près de Fatima, qui a choisi pas loin de Maria, et, quand tout le monde a été assis, Hugo a froncé les sourcils.

— Qu'est-ce que je vois ? Les garçons d'un côté et les filles de l'autre ? Vous ne pourriez pas vous mélanger un peu ? Vous êtes grands maintenant.

Personne n'a bougé, justement parce qu'on est grands. Alors il a dit qu'on en reparlerait plus tard et qu'en attendant on allait faire connaissance en écrivant notre prénom en gros sur le carton plié devant nous, et après chacun expliquerait son pays d'origine.

Tibère, Romain, Anne-Laure, Ludivine, Tiphaine, Baudoin qui avait une cravate, c'était la France. Moi, j'ai juste levé mon carton et tout le monde a ri parce que c'était pas la peine d'expliquer, et on a ri aussi pour Israël.

Fatima, ma copine, venait d'Algérie, Ahmed du Liban, Dong, qui avait des lunettes de couleur, de Chine. Il a ajouté que son papa avait un restaurant pas loin de l'école, L'Auberge des sept parfums, spécialisé dans la fondue pékinoise, ouvert même le dimanche de douze à vingt-trois heures, et que si Hugo voulait venir, on lui ferait un prix d'ami.

Maria qui est maousse s'est un peu cachée sous sa table et elle a dit que son pays d'origine était le Portugal, mais qu'elle était née dans le quartier. Là, Romain a chanté : « Super Mario, Super Maria », et Maria a couiné que ça recommençait comme en CE2 et qu'elle en avait marre du racisme antigros.

— À l'avenir, Romain, je te prierai de garder pour toi ce genre de réflexion, l'a grondé Hugo.

Romain a répondu :

— Pardon, j'ai essayé mais ça m'a échappé.

Et on a tous ri, même Maria.

Il restait le voisin de Baudoin qui n'avait pas dit son pays d'origine parce qu'il dormait. Sur son carton, c'était marqué ALI. Hugo a chargé Baudoin de le réveiller en douceur. Ali a sursauté quand même, il a bâillé et après il a dit qu'il venait du Mali, en Afrique, et on a tous applaudi parce que Ali-Mali, ça serait facile à retenir, comme pour Israël et pour moi.

— À présent que nous avons fait connaissance, quelqu'un a-t-il une question à poser ? a demandé Hugo.

J'ai levé le doigt, tous les copains ont crié : « Allez, France ! Allez, France ! » et j'ai demandé pourquoi madame la directrice avait dit qu'on était tous frères et pas tous frères et sœurs, vu qu'il y avait autant de filles que de garçons à l'école.

— Très bonne question, a dit Hugo.

Et il nous a expliqué que le mot « frère » contenait parfois les sœurs parce que en grammaire, le masculin l'emporte sur le féminin. Là, tous les garçons ont applaudi et les filles les ont hués.

— Bon ! Fini de s'amuser, a conclu Hugo. Si on se mettait au travail ?

Et pile comme on allait s'y mettre, ça a sonné dans la poche de Romain qui a sorti son portable et dit très vite trois mots qu'on n'a pas entendus.

— Dis-moi si je me trompe, Romain ? a demandé Hugo. Les portables ne sont-ils pas interdits dans l'enceinte de l'école ?

On a ri à cause de l'enceinte, et Romain a expliqué que c'était sa maman qui l'obligeait à prendre son portable, vu qu'elle était grave angoissée de le voir entrer dans cette école où son papa, qui était militaire, avait tenu à l'inscrire pour qu'il ne grandisse pas dans du coton.

Hugo a levé les sourcils. Il a dit à Romain que, coton ou pas, il était prié de laisser son portable chez lui, sinon il serait obligé de le lui confisquer, et Romain l'a ressorti de sa poche pour l'éteindre.

Sur le cahier de devoirs et entraînement, dont la couverture brillante donnait envie de briller nous aussi, on a fait une petite dictée pour qu'Hugo juge si on était des as ou des ânes et pile on venait d'écrire le point final quand la récré a sonné. Les murs de l'école ont tremblé : c'était toutes les classes qui dégringolaient l'escalier en même temps et on s'est retrouvés dans la cour.

Les anciens ont réservé le même morceau de mur que l'an dernier et Anne-Laure et Ludivine qui sont amies de cœur ont proposé une partie de « chat glacé ». Chat glacé, c'est pareil que « chat », sauf que si l'ennemi te touche tu n'as plus le droit de bouger jusqu'à ce qu'un de ton camp vienne te dégeler. Les garçons ont dit que c'était un jeu débile, alors on s'est amusées entre filles. Maria qui court avec difficulté a été attrapée tout de suite, Romain qui avait fini de rassurer sa maman s'est approché et il lui a dit que, puisqu'il n'avait pas le droit de l'appeler Super Maria, il l'appellerait « Super thon ».

Maria a fondu en larmes. Dong a dit à Romain qu'on parlait pas comme ça aux demoiselles. « Ding, ding, dong », a chanté Romain en lui envoyant un beignet qui est tombé sur le nez d'Ahmed, vu que Dong s'était baissé. Israël qui est l'ami d'Ahmed a crié que le papa de Romain allait avoir des nouvelles de son papa avocat. Ahmed qui a un papa docteur a recueilli la preuve en épongeant son nez avec le mouchoir d'Anne-Laure qui veut faire humanitaire quand elle sera grande et, en voyant la goutte de sang, Romain a dit que ça comptait pas vu que c'était du sang de navet.

— Putain, y fa chier çui-là, a crié Anne-Laure qui le dit tout le temps à cause de ses trois frères.

Tout le monde s'est jeté dans la bagarre, sauf Dong qui a retiré ses lunettes et qui s'est mis en lotus contre le mur parce qu'il est pacifiste. Fatima, Maria et moi, on a dit qu'on était les arbitres. Les CM2 s'en sont mêlés, malheureusement, le gardien, qu'on appelle Doberman, a sifflé, et Mme la directrice qui parlait sur les marches avec Hugo est accourue.

— Que se passe-t-il ici ? elle a crié.

Ceux qui étaient par terre se sont relevés, sauf Dong qui est resté en lotus. Baudoin a remis sa cravate droite et il a dit :

— Rien, madame la directrice, on faisait que jouer à chat glacé.

La fin de la récréation a bien choisi son moment pour sonner, et on a suivi Hugo en rang deux par deux dans l'escalier.

N'empêche que pour le « tous frères », ça commence moyen au CM1.

2

À l'amiable

Maman travaille au rez-de chaussée de son grand magasin, rayon Parfums. Elle sent toujours bon et rapporte à la maison plein d'échantillons destinés à fidéliser la clientèle.

Papa vend des voitures en France et à l'étranger où il emmène son assistante qui n'a pas été étrangère au divorce.

Le divorce s'est passé à l'amiable pour qu'il n'y ait pas trop d'effets négatifs sur l'enfant. C'est maman qui a ma garde. Elle reçoit une pension alimentaire qui ne nous mène pas loin. Papa a un week-end sur deux et la moitié des vacances.

Il a gardé le bel appartement avec ascenseur où on était avant et j'y ai conservé ma chambre, avec mes petits trésors, pour quand je viens.

En secondes noces, papa a épousé Églantine qui a plutôt l'air d'être ma grande sœur, et comme ils ont eu Baptiste, ça fait que j'ai un demi-frère du deuxième lit. Faut s'y retrouver.

Avec maman, on habite un deux pièces-cuisine-salle de bains au cinquième étage sans ascenseur. Maman dort dans le living sur un canapé-lit, moi, j'ai la chambre avec Gustave, mon lapin. Comme les murs sont en papier, la nuit, j'entends le voisin faire des bruits malpolis.

J'ai deux grands-mères et un seul grand-père. Ma grand-mère maternelle veut que je l'appelle Luce. Elle fait les trente-cinq heures à la Sécu et garde ses RTT pour me choyer. Je ne connais pas mon papi, qui s'appelle Fernando, parce qu'elle l'a viré quand j'étais même pas née. Lui, il était garagiste et il faisait les soixante-dix heures. En plus, quand il rentrait, au lieu de partager les tâches ménagères, monsieur ne pensait qu'à s'affaler devant le foot, en éclusant bière sur bière, c'est pour ça que Luce a divorcé et qu'elle s'est inscrite chez les féministes pour qu'il soit pas le seul à aboyer.

Comme maman est fille unique, j'ai aucun cousin ni cousine de son côté.

Du côté de papa qui a trois sœurs et un frère, j'en ai à foison, c'est cool. En plus, mes grands-parents ne sont pas divorcés malgré qu'ils ont cinquante ans de mariage, ce qui devient rare. Grand-père est à la retraite, lui aussi était dans les voitures, mais celles de luxe qu'il vendait à l'étranger et il a passé le relais pour les voitures à son fils aîné (papa). Grand-mère est femme au foyer. Ils habitent un grand appartement dans un quartier tranquille où tu peux vivre fenêtres ouvertes, ce qui est agréable quand les jours rallongent avec le changement d'heure.

Luce, le changement d'heure, alors là, elle n'en a rien à foutre parce que, figurez-vous, elle, elle travaille ! D'ailleurs, elle irait bien manifester sous les fenêtres de grand-mère, mais ça n'est jamais sur le trajet.

Luce dit que je suis le portrait craché de maman. Grand-mère me fait admirer des photos de papa à mon âge pour me prouver qu'il m'a légué ses cheveux blonds et ses yeux bleus. « On ne peut pas te renier », s'écrient-elles toutes les deux quand j'arrive et ça me rassure.

Pour mon baptême, grand-mère avait prêté sa précieuse robe de dentelle d'autrefois. Luce n'était pas venue. Elle dit que la religion c'est de l'opium, une drogue dure qui envoie les gens aux paradis artificiels, et gare à la descente : tu te retrouves à l'hôpital qui en plus manque de lits. Luce est bien placée pour le savoir, à la Sécu.

Elle s'occupe de moi le mercredi. On va au cinéma, au musée Grévin, au théâtre de marionnettes, et la fête se termine à la pâtisserie du coin où j'ai le droit de choisir entre un gâteau et une tarte.

Les tartes, grand-mère les fait elle-même et je vais chez elle mon week-end sur deux quand papa ne peut pas me prendre, ce qui arrive plus souvent qu'à son tour.

Chez mes deux grands-mères, j'ai le droit d'inviter une amie, même deux. J'ai invité Fatima et Maria chez Luce. Elles ont été supercontentes parce qu'elles n'ont pas de vrai appartement. La maman de Maria est gardienne et la maman de Fatima loge à l'hôtel où c'est défendu de recevoir et de faire la cuisine, mais tout le monde la fait quand même sur un réchaud au risque de mettre le feu.

Chez grand-mère, j'ai invité Anne-Laure et Ludivine, mes meilleures copines après Maria et Fatima. Quand Anne-Laure a dit à Baptiste qui n'arrêtait pas de faire le con : « Putain, y fa chier çui-là », grand-mère a sursauté et Ludivine lui a expliqué qu'Anne-Laure le disait tout le temps à cause de ses deux frères.

Le papa d'Anne-Laure travaille à la Solidarité et sa maman à l'Europe. Plus tard, Anne-Laure fera humanitaire, alors il faut bien qu'elle s'exerce à parler comme tout le monde.

3

Guerres de religion

À l'école, notre maîtresse est toujours en arrêt maladie. On n'a pas envie qu'elle guérisse parce qu'on préfère garder Hugo.

Il y a eu du ramdam dans les places en classe. Dong et Tibère sont passés du côté des filles. Dong parce qu'il est pacifiste et qu'il a peur pour ses lunettes. Tibère parce que, s'il se bat, sa maman descendra la télé à la cave.

Anne-Laure, qui est un garçon manqué et a trois frères, est passée du côté des bagarreurs qui ne lui font pas peur. Ludivine aussi parce qu'elle est son amie de cœur.

Toutes les deux sont les meilleures élèves de la classe. Ludivine a même été nommée chef de rang, ce qui donne des responsabilités. Par exemple, c'est elle qui efface le tableau et tape la brosse sur les murs de la cour en faisant des petits nuages de poussière. J'aimerais bien être chef de rang mais pour ça j'ai encore du chemin à faire.

On a compris pourquoi Ali dormait tout le temps. Il a des coups de barre parce que justement il habite dans une barre avec tellement de frères et de sœurs qu'il n'arrive pas à les compter.

Patatras ! Dès la première lecture à voix haute, Hugo a découvert qu'un quart de la classe était dyslexique. La dyslexie est la maladie de la lecture. Tu lis en charabia. Les fautes d'orthographe sont son effet secondaire. Là, tu écris en verlan sans faire exprès. Total, l'enfant tombe en échec scolaire, il se décourage de s'instruire et, si on n'y prend pas garde, il se retrouve en zone d'éducation prioritaire.

Pour bien fourrer dans nos têtes de bourricots que la dyslexie n'était pas une maladie honteuse, Hugo a affiché au mur la photo d'un vieux monsieur ébouriffé qui tire drôlement la langue. Il s'appelle Albert Einstein. Quand il avait notre âge, il était dyslexique et gaucher par-dessus le marché. Eh bien devinez, mauvaise troupe : il est devenu un grand savant connu du monde entier. C'est pour ça qu'il lui tire la langue.

Pour donner leur chance d'être savants aux dys-lexiques, une dame qu'on appelle une orthophoniste, un mot difficile à prononcer même pour les normaux, vient deux fois par semaine leur apprendre à remettre les mots à l'endroit.

Hugo s'occupe du français et du calcul. Mais comme il est aussi surveillant, les CM2 nous prêtent Mme Canal, que tout le monde appelle « Canal + », pour l'histoire et la géo. On préfère l'histoire, c'est plus vivant : il y a des guerres tout le temps.

Ce matin, Canal + a dit qu'on allait s'attaquer à la Gaule et on a applaudi parce que, avec Astérix, on connaît par cœur.

— Eh bien, pourquoi ne pas commencer par lui ? a dit Canal + avec entrain. Voyons, qui a le courage de se lancer en premier ?

C'est Romain qui a eu le courage à cause de son nom. Il a levé le doigt et il a dit que les Romains avaient envahi la Gaule qui était un pays arriéré avec son barde, ses menhirs et ses crétins de sangliers. D'ailleurs, il préférait Batman.

— Arriéré toi-même, l'a coupé Ludivine sans lever le doigt. Et qui a trouvé la potion magique, s'il te plaît ?

Tout le monde a crié : « Panoramix, Panoramix. » Canal + a frappé dans ses mains et on s'est arrêtés.

— Ne nous égarons pas, elle a dit avec moins d'entrain.

Puisque nous parlons des Romains, qui peut me donner le nom de leur empereur ?

Là, c'était fastoche et tout le monde a crié : « Jules César », sauf Tibère qui a dit que c'était Tibère.

— Ah, ah, a dit Canal +. Si tu nous racontais ce que tu sais au sujet de Tibère, Tibère ?

Tibère a dit fièrement que Tibère était aussi un empereur romain, même qu'on l'appelait Tibère-Jules César, alors c'était pas juste qu'on parle pas de lui dans Astérix, vu qu'en plus il était très bon comme empereur.

Baudoin, qui fait sérieux à cause de sa cravate, a levé le doigt pour dire que Baudoin était roi de Jérusalem, même que son frère s'appelait Godefroy de Bouillon et que les infidèles lui avaient coupé la tête.

Tout le monde a ri à cause du bouillon et parce qu'on avait un Geoffroy dans la classe qui a caché sa tête dans ses bras pour qu'on la lui coupe pas.

— Du calme, du calme, ne nous égarons pas, a crié Canal +. Sais-tu, Baudoin, que Baudoin était croisé. Peux-tu nous parler des croisés et des infidèles ?

Baudoin a dit que les croisés faisaient des raids pour récupérer le tombeau de Jésus qui était leur dieu, à Jérusalem.

Là, Israël a levé le doigt pour dire que Jérusalem était dans son pays et que son dieu à lui s'appelait Abraham et son assistant Moïse. Et juste après, Ahmed qui est l'ami d'Israël a levé le doigt pour dire que lui c'était Allah et Mahomet son prophète. Là, Fatima a crié que Mahomet était son prophète à elle aussi, même qu'il avait une fille qui s'appelait Fatima et qu'elle avait épousé Ali.

Toute la classe a applaudi Ali qui s'est réveillé et qui a été très content de recevoir une ovation même s'il ne savait pas qu'il avait épousé la fille de Mahomet.

Anne-Laure a dit qu'elle détestait les Romains parce qu'ils donnaient les chrétiens à manger aux lions dans un cirque.

— Attendez, attendez, revenons à nos moutons, a crié

Canal + en tapant du poing sur son bureau, et on a tous ri parce que c'était pas des moutons mais des lions qui mangeaient les chrétiens.

Dong a retiré ses lunettes, il les a rangées dans leur étui et il a fait remarquer qu'on avait oublié son dieu à lui, Bouddha, qui était pacifiste. Et Romain, qui a un papa militaire, a pris son regard « opération Python ».

— Moi, je te dis que ton Bouddha, c'est parce qu'il a peur de perdre ses bourrelets qu'il veut pas se battre.

Là, Super Maria, qui a des bourrelets terribles, l'a pris pour elle. Elle s'est soulevée à moitié et elle a dit que même si elle était catholique pratiquante, elle avait trouvé le dalaï-lama super à la télé et que les bourrelets de Bouddha n'empêchaient pas des millions de fidèles de l'aimer parce qu'il était bon. D'ailleurs, on disait un « bon gros » et jamais un « bon maigre ». Et Romain a rétorqué qu'on disait un « gros con » et pas un « maigre con ».

En signe de protestation, Dong s'est mis en lotus sur son siège et Romain qui n'était pas content d'avoir tout le monde contre lui à cause de Bouddha l'a traité de « banane flambée ».

« Putain, y fa chier çui-là », a dit Anne-Laure, et Ahmed a mis le feu aux poudres en ajoutant qu'un de ces jours il y aurait peut-être autre chose qui flamberait du côté de Babaorum, ce serait la bagnole du papa militaire de Romain. Romain a sorti son portable pour appeler sa maman et lui annoncer qu'elle avait raison : il était dans un repaire de terroristes. On a tous commencé à se bombarder avec des gommes et des crayons, sauf Tibère qui nous suppliait d'arrêter sinon sa maman descendrait la télé à la cave.

Plus personne n'écoutait Canal + qui s'est levée en renversant sa chaise et qui a crié qu'elle allait chercher Mme la directrice et qu'on aurait un avertissement général.

Elle a pas eu besoin de la chercher parce que la porte s'est ouverte et que Mme la directrice est entrée d'un coup avec Hugo.

On a vite regagné nos places, sauf Dong qui y était

déjà en lotus et Ali qui dormait. Mme la directrice a regardé le champ de bataille la bouche grande ouverte. Même Albert Einstein s'était pris un projectile et était tombé à l'envers. Hugo est allé le ramasser en nous menaçant des yeux et on a compris qu'on avait dépassé les bornes, mais c'est ce qui arrive avec les guerres de religion, ils le disent tout le temps à la télé, sauf qu'ils appellent ça des frontières.

— Que se passe-t-il ici, madame Canal + – pardon, madame Canal ? a explosé à son tour Mme la directrice.

Mme Canal + est devenue toute rouge et elle a disjoncté. Elle a hurlé qu'il faudrait désormais compter sur quelqu'un d'autre pour s'occuper de notre bande de sauvages et après elle est sortie en claquant la porte et en oubliant sa chaise par terre.

— Écoutez-moi bien, a dit Mme la directrice d'une voix terrible. De toute ma longue carrière, je n'ai jamais, jamais, eu affaire à une classe comme la vôtre. Tenez, vous m'en faites perdre mon latin !

Ali a bâillé très fort sans mettre sa main devant sa bouche parce qu'il la levait. Il a dit à Mme la directrice que, si elle voulait, il l'aiderait à retrouver son latin parce que dans sa barre, avec tous ses frères et sœurs qu'il ne pouvait même pas compter, c'était le souk et qu'il avait l'habitude de chercher. Et en voyant le sourire dans les yeux d'Hugo, on a compris qu'on pouvait encore compter sur lui, même si on a eu droit à l'avertissement général.

Le soir, quand j'ai raconté à maman qu'en histoire on avait étudié Astérix, elle a dit que j'avais de la chance d'avoir des enseignants dans le vent.

4

Noir sur blanc

Aujourd'hui, maman a pris sa journée RTT, mais elle n'est pas venue me chercher à l'école, parce qu'elle avait une foule de choses à faire.

Quand j'ai vu la foule – le living bien rangé avec le lit deux places rentré sous les coussins du canapé, son brushing, son maquillage, son corsage en soie et son collier –, j'ai compris qu'on attendait un invité. « Un », vu que quand c'est « une », maman se paye pas le coiffeur.

Elle avait l'air très gai, même un peu trop, comme les grandes personnes qui ont derrière la tête une mauvaise idée pour les enfants, et j'en ai profité pour lui montrer mon cahier de devoirs et entraînement où c'était marqué, sauf en français, que les résultats de l'élève laissaient à désirer, et elle l'a signé sans presque le regarder en disant que j'avais l'art de choisir mes moments.

Après, elle s'est assise sur le canapé, et tap tap tap sur le coussin d'à côté.

— Viens là, mon chat, j'ai quelque chose à te raconter.

Elle m'a raconté qu'elle avait rencontré un monsieur très gentil à son rayon Parfumerie, côté Eaux de toilette pour hommes. D'ailleurs, il allait venir tout à l'heure faire la dînette avec nous.

— Tu sais, dimanche, quand tu étais chez Luce, figure-toi qu'il est passé ici. Il a vu ta photo et il brûle de te connaître.

Pour ça, maman est cool. Avec ses invités, elle met tout de suite les choses noir sur blanc : elle a une petite fille dans sa vie et c'est toutes les deux ou rien. Et comme elle est superjolie, tous les invités brûlent de me connaître.

Moi, quand j'étais rentrée de chez papa, dimanche, j'avais tout de suite deviné que quelqu'un était passé parce que la maison sentait pas pareil et que dans le panier à linge, il y avait des draps même pas sales.

— Tu pourras l'appeler Jean-Philippe, a dit maman. Et maintenant, au bain ! Autorisation pour la mousse.

L'autorisation pour la mousse, c'est quand maman a pas la conscience clear, là, Jean-Philippe. Ça m'a un peu rassurée qu'elle l'appelle par ses deux prénoms. C'est quand tu en retires un que tu deviens intime. Par exemple, avant ma naissance, on m'appelait Marie-France. Après, en s'attachant à moi, on n'a gardé que France, surtout que j'avais eu la drôle idée de naître un 14 juillet.

Miss France est entrée dans la mousse en faisant une pointe avec le pied pour tâter l'eau et, sur le rebord de la baignoire, les quarante-trois échantillons de parfum dans leurs flacons de Barbie ont applaudi. J'étais contente de ne pas être dyslexique pour pouvoir lire leurs noms à l'endroit. Ils sont tous très jolis, sauf Damnation qui veut dire l'enfer. Parfois, les marchands ont des drôles d'idées pour attirer la clientèle.

En mijotant dans la mousse, j'ai pensé à Fatima et à son hôtel où il y a une seule baignoire pour tout l'étage, même qu'une fois sur deux, quand c'est ton tour d'occuper la baignoire, tu te les gèles. J'aurais préféré me les geler et avoir comme elle toute ma famille sous le même toit, même tout petit. Grand-père dit qu'il faut se faire une raison, mais c'est pas marrant, la raison. D'ailleurs, aucun échantillon de parfum s'appelle comme ça.

Les jours sans invités, après mon bain, je me mets

direct en pyjama et on dîne en amoureuses avec maman en regardant notre feuilleton sur le canapé-lit. En l'honneur de l'invité, maman avait préparé sur le dossier de ma chaise la robe vert prairie avec des boutons-marguerites de grand-mère qui a parfois des idées nulles pour mes cadeaux.

Quand je suis revenue au salon, le couvert était mis, avec les verres précieux qui cassent à la machine, ceux au bord qui chante quand tu en fais le tour avec ton doigt mouillé. Je connaissais par cœur le menu de la dînette vu qu'il est toujours pareil quand on a des invités : des coquilles saint-jacques aux poireaux nouveaux que je déteste, même si d'habitude je préfère le surgelé au frais – les pizzas, les frites et les nuggets. Et, après, du fromage et des glaces.

— Je compte sur toi pour te tenir correctement à table et surtout ne pas parler à tort et à travers, a dit maman.

J' l'ai aidée à couper le citron pour les coquilles, et, quand elle m'a demandé pourquoi j'avais les yeux rouges, j'ai répondu que je m'en étais envoyé un petit jet dedans.

L'invité est arrivé à l'heure avec un gros bouquet de roses. Il était essoufflé vu que cinq étages sans ascenseur quand t'as plus vingt ans c'est dur.

Les vingt ans, il les avait dépassés depuis longtemps, encore plus longtemps que papa. C'est pour ça que Luce dit que ces messieurs les jolis cœurs vont chercher leurs conquêtes au berceau.

— Quelle surprise, Jean-Phi ! s'est écriée maman en prenant les roses dans ses bras. C'est une folie. Tu n'aurais pas dû.

Même si le Jean-Phi m'a pas plu, j'ai pas dit que maman avait préparé le grand vase dans la cuisine. J'ai tendu poliment la main en récitant : « Bonsoir monsieur », pour éviter le bisou.

Il s'est penché sur moi ; il sentait l'échantillon.

— Voilà donc la petite merveille ?

Maman a ri avec sa gorge, comme je déteste.

— La petite merveille et toi, vous allez faire connaissance pendant que je mets les fleurs dans l'eau.

Elle est partie à la cuisine. Jean-Philippe a pris ma main et, vlan, direct sur le canapé. On voyait qu'il connaissait les lieux ! Là, il a montré le cadre avec mon gros plan sur la table basse qui fait table de nuit quand le canapé est en lit.

— Dis-moi tout, ma petite France. Où as-tu pris ces beaux cheveux blonds et ces yeux bleus ?

Ça pouvait pas être chez maman vu qu'elle les a châtains, alors j'ai mis les choses noir sur blanc et j'ai répondu :

— Je les ai pris à mon papa chéri que j'aime.

Et même s'il brûlait de me connaître, Jean-Phi a eu l'air un peu refroidi.

— Et voilà ! a annoncé gaiement maman en revenant avec le bouquet, et elle l'a posé sur la télé parce que la place manque à la maison. Qu'est-ce que vous vous racontiez de beau ? Si on prenait un verre pendant que le dîner chauffe ?

Elle et Jean-Philippe ont pris un doigt de porto et moi le Coca qui n'empêche pas de dormir. J'ai choisi mon moment, comme pour le carnet, et je me suis déchaînée sur les cacahuètes et les gâteaux parce que maman ne pouvait rien dire, sauf avec les yeux, à cause de l'invité.

Sitôt que le micro-ondes a sonné, elle a sauté sur ses pieds.

— Qu'est-ce que je peux faire pour t'aider ? a proposé Jean-Philippe en se levant lui aussi, mais plus lentement à cause de sa brioche, comme grand-père.

Maman lui a confié le vin blanc à ouvrir. Malheureusement, elle avait encore oublié de remplacer le tire-bouchon qui ne débouche plus les bouteilles depuis qu'elle a essayé de retirer les cheveux du lavabo avec. Même qu'il s'était coincé dans la bonde et qu'on avait dû appeler SOS plombier qui avait coûté la peau des fesses, c'est là qu'on voit que la présence d'un homme manque dans les foyers monoparentaux.

Jean-Philippe a posé la bouteille et le tire-bouchon sur

la table basse et, pendant qu'il retroussait ses manches sans prévoir la galère, il m'a demandé comment ça marchait à l'école et si je savais ce que je voulais faire plus tard : la question que tous les adultes posent aux enfants pour se rendre intéressants à leurs yeux. J'ai répondu :

— Comme Luce, la maman de maman.

D'habitude, les enfants choisissent de faire le contraire de leurs parents, là, en plus, c'était ma grand-mère, alors il a été tellement étonné qu'il a relâché un instant son effort sur le bouchon.

— Et que fait-elle de beau, la maman de ta maman ?

J'ai raconté pour la Sécu, le syndicat et son club où d'ailleurs Luce m'avait emmenée une fois et je m'étais bien amusée à préparer les affiches marquées : « Les machos aux fourneaux ». À propos de fourneaux, il a regardé du côté de la cuisine et il a demandé tout bas :

— Et ta maman ? Elle fait aussi partie du club des Aboyeuses ?

J'ai répondu « Pas encore », mais qu'à la maison où il n'y avait pas d'homme pour s'occuper des tâches ménagères, tout était comme le tire-bouchon. S'il me croyait pas, il n'avait qu'à passer le doigt sur le rebord des étagères.

Jean-Philippe a repris son combat avec la bouteille sans plus rien dire, sauf un gros mot quand il n'a tiré que la moitié du bouchon, vu que l'autre était restée dedans.

Et pile à ce moment, maman a crié le même gros mot à la cuisine parce que le micro-ondes est brouillé avec le congélateur, et elle avec les deux.

Heureusement, tout a fini par s'arranger. Le voisin aux bruits malpolis nous a prêté son tire-bouchon à gaz, le vin blanc était un peu chaud et les coquilles saint-jacques glacées à l'intérieur comme d'habitude, mais maman avait pris ses précautions pour les sorbets qu'on a mangés en compote, ce qui est mieux que quand tu tords ta petite cuillère dedans sans arriver à en attraper.

Comme j'avais école le lendemain, j'ai rejoint Gustave tout de suite après le dîner. Gustave, c'est mon lapin, et il n'a plus d'oreilles parce que je les suce pour m'endormir, mais ça ne l'empêche pas de m'écouter.

Au petit déjeuner, maman n'avait pas l'air dans son assiette.

— Qu'est-ce que tu es allée raconter à Jean-Philippe ? Il m'a demandé si je faisais partie des Aboyeuses ? Pourquoi tu me casses mon coup chaque fois ? Tu as vraiment envie que je vive comme une bonne sœur ?

Faudrait savoir si, oui ou non, maman veut qu'on mette les choses noir sur blanc.

5

Secrets d'État

Il y a eu une très bonne surprise à l'école : le ministre de l'Éducation nationale nous a offert quatre ordinateurs. On va s'initier à l'informatique. L'informatique, c'est comme l'anglais, si tu t'inities pas, tu es largué pour ton futur métier.

— Vous êtes la génération Internet, a dit Hugo, et on a été fiers parce que Internet ça fait internaute et c'est comme voler.

Pour maman qui est la génération d'avant, c'est pareil que pour les tire-bouchons, le micro-ondes et le congélateur, elle n'arrive pas à s'en servir. Luce, qui est encore d'avant, n'a pas eu le choix à la Sécu : c'était l'informatique ou la préretraite. Grand-mère, elle dit que l'ordinateur tue la lecture, et c'est vrai parce que, pour installer ceux du ministre dans la bibliothèque, il a fallu descendre au sous-sol plusieurs cartons de livres qui n'auront plus qu'à y moisir.

Moi, j'ai envie d'aimer les deux : les livres et Internet, puisque les livres aussi ça fait voler.

Avant qu'on monte recevoir notre première leçon à la bibliothèque, Hugo a déclaré qu'ensuite on noterait nos impressions sur le cahier de devoirs et entraînement parce que l'écriture aussi c'est important pour notre futur métier,

« et n'oubliez pas que je m'appelle Hugo Victor. Maintenant, en avant mauvaise troupe ! ».

M. Chang, le professeur d'informatique, nous a accueillis. Dong était fier que ce soit un compatriote et il s'est scotché à lui. C'était marrant parce que tous les deux étaient spécialement petits et avec des lunettes sur des yeux pareils.

— Ceux qui ont un ordinateur chez eux voudront bien lever la main, a dit M. Chang très poliment, et Anne-Laure a levé les deux parce que, avec son papa dans la Solidarité, sa maman à l'Europe et ses trois frères, il y avait plusieurs ordinateurs chez elle.

Romain n'a levé qu'une seule main, mais il a dit à M. Chang que comme son papa était militaire c'était un ordinateur avec dedans des secrets d'État, alors qu'il comptait pour plusieurs.

Israël et Ahmed avaient chacun un ordinateur à la maison et ils s'envoyaient tout le temps des mails. Le papa de Dong en avait un à l'Auberge des sept parfums où il serait honoré de faire des prix à M. Chang. Le papa de Tibère qui est dentiste avait un ordinateur dans son cabinet. On a tous ri à cause du cabinet et Tibère s'est mis en colère. Il a dit qu'on serait bien contents d'aller voir son père pour soigner nos dents pourries par les virus parce qu'on les lavait pas régulièrement. Et il a dit aussi que les virus se collaient dans les ordinateurs et qu'ils pourrissaient les programmes.

— Putain, y fa chier çui-là, a dit Anne-Laure, et M. Chang qui est très poli a eu un petit sursaut.

Ali a montré le cocard terrible qu'il avait sur l'œil et il a dit que s'il y avait un ordinateur dans sa barre, il finirait fatalement comme son œil qui avait reçu un coup cette nuit parce que sa famille dormait les uns sur les autres.

— Ça t'a pas fait trop mal, au moins ? a demandé Tiphaine qui est toujours à l'heure pour le cœur sur la main.

Et Ali a haussé les épaules comme on fait quand on

s'en fout pas, parce que si on s'en fout on prend la peine de répondre.

Il n'y avait pas assez de place pour l'ordinateur dans la loge de Maria et dans la chambre d'hôtel de Fatima. Moi, j'avais pas encore levé la main vu que je rêvais un peu, alors tous les autres ont crié : « Allez, France ! Allez, France ! », et j'ai expliqué que l'ordinateur était resté avec papa et tous les meubles quand on avait déménagé après le divorce. Et là, presque toutes les familles monoparentales ont levé le doigt parce que, chez elles aussi, l'ordinateur s'était volatilisé avec le papa.

— Ce n'est pas grave, a dit M. Chang en inclinant la tête sur sa poitrine. Nous allons remédier à ça.

Il a promis qu'avant la fin de l'année nous serions tous des internautes accomplis et que nous ferions un journal qu'on enverrait sur la toile à une école étrangère. Et Anne-Laure a applaudi comme chaque fois qu'on parle de l'étranger parce qu'elle veut faire humanitaire quand elle sera grande.

Ensuite, M. Chang a divisé la classe en quatre groupes : un pour chaque ordinateur. Vingt-neuf, ça ne faisait pas un compte rond mais Ali avait déjà son coup de barre alors on l'a pas compté.

J'étais dans le premier groupe avec comme copains Fatima, Romain, Maria et Tibère. M. Chang a dit que, pendant qu'il nous initierait, les groupes suivants pourraient se familiariser tout seuls avec la souris.

— La souris ? Pourquoi pas le rat ? a demandé Romain en jetant son regard « opération Python » sur Dong.

— Répète donc pour voir ? a dit Dong en se collant à son compatriote.

Romain a fait celui qui n'a rien dit mais n'en pense pas moins, comme Luce quand elle parle mal de papa devant moi et que maman la foudroie, et M. Chang a préféré faire celui qui n'avait pas entendu.

Il nous a présenté le clavier et chacun à son tour a pianoté sur les touches. C'était comme la machine à écrire de Luce, en doux. M. Cheng a félicité Tibère.

— On dirait que tu n'as fait que ça toute ta vie.

Maria qui n'arrivait pas à pianoter à cause de ses doigts qui débordaient a couiné que c'était pas juste, tout était fait pour les maigres, comme dans l'avion qu'elle prenait avec sa maman pour partir en vacances au Portugal et où on les obligeait à réserver trois sièges pour deux. Et M. Chang qui est fin comme une aiguille et aurait tenu dans un demi-siège n'est pas arrivé à la consoler.

Pendant ce temps, les autres groupes avaient fini de se familiariser avec la souris. Ils avaient dressé des barricades de livres et ils se bombardaient avec, en visant la tête. Grand-mère a raison pour la mort de la lecture.

Alors M. Chang a chargé Tibère d'exercer nos talents et il est vite allé séparer les combattants et donner son initiation au groupe 2.

— Sans moi ! a dit Romain à Tibère parce qu'il était vexé de ne pas avoir été choisi pour exercer nos talents.

— Quand tu connaîtras mon secret d'État, tu regretteras, mon petit, a répondu Tibère de haut.

Il s'est assis devant l'écran et il s'est mis à faire galoper la souris jusqu'à ce qu'elle s'arrête sur un monsieur et une dame tout nus qui faisaient des choses horribles en poussant des cris d'animaux. Romain, qui n'avait pas l'air de connaître ce secret d'État-là, a sorti son portable pour le photographier. Les drôles de cris ont attiré les groupes 3 et 4 qui sont venus voir ce qui se passait sur notre toile. Il y avait maintenant plusieurs messieurs et plusieurs dames en tas les uns sur les autres, et Tiphaine qui a toujours un train de retard et qui en était restée aux cigognes qui apportaient les bébés dans un sac suspendu à leur bec, s'est mise à pleurer en disant que c'était trop dégoûtant et qu'elle se marierait jamais.

— Pourquoi tu pleures comme ça, ma petite ? a demandé M. Chang en s'approchant avec le groupe 2.

Tiphaine pleurait trop pour répondre, alors elle a

montré l'ordinateur et, pas de chance, juste à ce moment-là, Mme la directrice et Hugo sont entrés à la bibliothèque pour voir comment se déroulait l'initiation et eux aussi ont vu pourquoi Tiphaine pleurait et M. Chang a poussé un cri de souris et il a débranché les messieurs et les dames.

Mme la directrice est d'abord restée la bouche ouverte comme si on l'avait débranchée elle aussi. Romain en a profité pour lever le doigt et il a dit que ça apprendrait à Tibère d'être choisi pour exercer nos talents et pas lui qui jouait à des jeux propres sur l'ordinateur, par exemple *Call of duty* ou *Medal of honor*, avec son papa militaire.

— Peux-tu t'expliquer, Tibère ? a demandé Hugo d'une voix qui s'empêchait de rire.

Tibère a d'abord dit à Romain qu'il le lui paierait cher. Après, il a expliqué qu'à son avis c'était un virus qui avait pourri le programme, et après il a pleuré parce que si sa maman apprenait pour le virus, elle descendrait la télé à la cave et qu'il raterait son match.

— Elle ferait mieux d'y descendre l'ordinateur, a dit Hugo.

Mme la directrice s'était éloignée avec son portable et, quand elle est revenue, elle avait retrouvé le son. Elle nous a annoncé qu'après la cantine une dame très gentille viendrait discuter avec nous des vilaines images qu'on avait découvertes sur l'ordinateur et qu'on pourrait lui poser toutes les questions qui nous passeraient par la tête. C'est pas souvent qu'on entend ça.

On est retournés en classe et on n'a pas noté nos impressions sur le cahier de devoirs et entraînement parce que, avec tout ça, les groupes 2 et 3 n'avaient pas eu leur initiation.

Pendant la récré, Fatima m'a dit que la dame était soutien psychologique et qu'elle était déjà venue l'année dernière quand le feu avait pris dans une classe et que les enfants avaient été très choqués. Romain a d'abord rassuré sa maman sur son portable en lui racontant les images qu'on avait vues sur l'ordinateur. Après, il a cherché les photos, mais elles étaient ratées ; on voyait que les pieds.

Moi, j'ai pensé à maman quand j'allais chez Luce le samedi soir et que le dimanche je retrouvais les draps dans le panier. Je savais que c'était pas seulement des images et ça m'a donné envie de pleurer.

6

Feu à l'école

La soutien psychologique avait le même sourire tout lisse que maman quand elle a une idée derrière la tête mais préfère la garder pour plus tard.

Elle s'est assise à la place d'Hugo et elle a posé ses lunettes devant elle comme grand-père qui s'en sert pour lire son journal parce qu'il est presbytère, et qu'il passe sa vie à les perdre alors qu'il les a dans sa poche.

Elle a dit : « Je m'appelle Mme Chêne et je suis venue bavarder un petit moment avec vous. Pour commencer, je vais vous raconter une histoire très drôle. Figurez-vous que, quand j'avais votre âge, je croyais que les garçons naissaient dans les choux et les filles dans les roses. »

Elle a ri. Nous aussi, par politesse, mais pas Tiphaine qui, jusqu'au film de Tibère, croyait que les bébés étaient apportés par les cigognes.

Puis la soutien a arrêté de rire et elle nous a dit qu'Internet était une découverte épatante qui permettait aux hommes de communiquer entre eux avec des mails, des blogs, tout ça et qu'elle avait chez elle le même ordinateur exactement que celui que le ministre nous avait offert.

Elle a respiré quelques secondes et elle nous a annoncé avec tristesse que, parmi les sites formidables, il y en avait d'autres, comme celui sur lequel on était tombés par accident ce matin, et qu'elle comprenait très bien qu'on soit choqués.

— Et maintenant, lequel d'entre vous est prêt à se lancer pour nous donner son opinion ?

Romain s'est lancé le premier. Il a dit qu'on n'était pas tombés par accident sur le site, mais à cause de Tibère qui avait été choisi à tort pour exercer nos talents. Et on s'est tous tournés vers Tibère, qui s'est tourné vers la fenêtre et n'a pas répondu.

Après, Anne-Laure a demandé à la soutien si elle pouvait poser une question et la soutien a dit d'une voix toute douce :

— Vas-y sans crainte, ma mignonne.

Anne-Laure voulait savoir si le monsieur qu'on avait vu sur la dame avait pensé à mettre son préservatif, parce que sinon, il était bon pour le sida. D'ailleurs, le ministre de l'Éducation nationale, qui nous avait offert les ordinateurs, avait offert en plus des machines à préservatifs dans le lycée de ses frères.

Là, Baudoin a remis sa cravate droite et il a dit que son grand frère à lui préférait acheter les préservatifs à la pharmacie parce qu'ils étaient plus jolis et même il y en avait qui faisaient de la musique.

— Ah, ah, voilà qui est très intéressant, a dit la soutien en taquinant les branches de ses lunettes.

Et avant qu'elle ait pu continuer, Ahmed, qui a un papa docteur, a dit qu'il y avait des personnes qui croyaient que le préservatif pouvait resservir, alors ils le lavaient entre deux fois et rebelote. En plus, il y en avait qui coupaient le bout pour mieux pouvoir rentrer, total, tu attrapes le virus alors que tu es sûr d'être *clean*.

Pendant qu'Ahmed parlait, Mme Chêne avait repris ses lunettes par la branche, ce que grand-mère défend à grand-père qui les balance pareil quand il se contient.

— Eh bien, tu en connais des choses, mon mignon, elle a remarqué.

On s'est écriés qu'on connaissait aussi les choses parce

qu'on venait de regarder le gala à la télé, et Anne-Laure a ajouté que, cette année, la recette serait encore meilleure que l'année dernière et que cela permettrait de soigner plein d'enfants frappés par le sida à cause des papas qui croyaient être clean et qui l'étaient pas.

— Ah, ah, voilà qui est très intéressant, a dit la soutien d'une voix énervée.

Elle a tapé sur la table et elle a poursuivi qu'il était temps de revenir aux images de ce matin. Quand Romain a encore levé le doigt, elle a poussé un gros soupir avec ses yeux. Romain a dit que ça s'appelait des images porno. Et son papa qui était militaire disait que c'était honteux de montrer ça à la jeunesse, et...

— Ton papa a tout à fait raison, l'a coupé Mme Chêne. Et vous devez savoir que ces images peuvent être très dangereuses, car derrière se cachent parfois des prédateurs. L'un de vous connaît-il ce mot ?

Maria a dit qu'elle connaissait. C'était un monsieur qui enlevait les enfants. Et même si sa maman n'avait pas d'ordinateur dans la loge, les prédateurs pouvaient très bien venir la chercher à l'école et lui promettre par exemple un gâteau ou une glace à la vanille, sa préférée. C'est pour ça que sa maman lui faisait tous ses trajets.

— Dis donc, a rigolé Romain, celui qui viendra t'enlever, il aura intérêt à apporter sa grue.

Maria s'est mise à couiner en traitant Romain de raciste antigros. En plus, il savait peut-être pas qu'il y avait des hommes qui préféraient les rondes.

Mme Chêne a respiré à fond et elle a dit que la maman de Maria avait tout à fait raison de se méfier car le danger était partout.

— Même au sein de la famille, s'est écrié Israël qui n'avait pas encore parlé et on a ri à cause du « sein », et lui aussi parce qu'il l'avait dit exprès.

Il a ajouté qu'au sein de la famille les prédateurs, qui s'appelaient aussi des pédophiles, s'attaquaient à leurs propres enfants, et son papa avocat disait qu'ils méritaient la peine maximale.

Ahmed qui, lui, a un papa docteur, a renchéri que les pédophiles étaient des malades qu'il fallait soigner avec des comprimés à prendre chaque matin sans jamais sauter un jour sinon rebelote, comme pour les préservatifs coupés au bout.

Romain s'est levé.

— Des malades ? Tu veux dire des assassins, ouais !

Tibère, qui est le meilleur ami de Romain, a applaudi et Baudoin a remis sa cravate droite, après il est monté sur sa chaise et il a demandé un vote à main levée pour rétablir la peine de mort contre les prédateurs.

On a tous voté pour, sauf Dong qui est pacifiste et qui s'est mis en lotus pour protester, et Ali qui dormait et que Romain secouait pour obtenir sa voix.

— Toi, le petit facho, tu arrêtes de maltraiter ton voisin ! a crié Mme Chêne, et on s'est tous calmés parce qu'on a compris qu'on avait dépassé les bornes.

— C'est pas moi qui maltraite Ali, a protesté Romain. C'est dans sa barre où tout le monde dort les uns sur les autres. Même qu'il a un cocard terrible sur l'œil.

— Un cocard sur l'œil ? a répété Mme Chêne avec une autre voix.

Elle est descendue de l'estrade et elle est venue près d'Ali. Elle s'est penchée sur lui et elle a dit :

— Réveille-toi, mon gnomi.

Voilà qu'elle parlait en verlan comme les dyslexiques, mais on n'a pas ri parce qu'on doit jamais se moquer des différences.

Ali n'est pas habitué à ce qu'on lui parle doucement, alors il s'est réveillé en sursaut. Il a redressé la tête et le cocard est apparu dans toute sa splendeur.

— Mon Dieu ! Mais qui donc t'a fait ça ? s'est exclamée la soutien.

Ali a répondu qu'il pouvait pas savoir vu que ça s'était passé dans le noir et qu'ils étaient plusieurs sur le matelas.

— Plusieurs sur le matelas ? a répété Mme Chêne dans un souffle.

— Pas de jaloux et gare à celui qui résiste, a ajouté Ali en remettant sa tête dans ses bras.

La soutien a pris une grande respiration en fermant les yeux. Après, elle les a rouverts et elle a dit à Ali que l'heure allait bientôt se terminer et que, s'il était d'accord, elle le garderait un petit moment en tête à tête. Ali n'avait pas l'air tellement d'accord vu qu'après l'heure c'est la récré où il s'exerce au foot pour sortir de sa barre par le haut.

Mme Chêne est retournée à son bureau et elle a demandé à Baudoin, sans savoir que c'était à cause de sa cravate qui fait sérieux, de nous distribuer à chacun une espèce de ticket avec un numéro écrit dessus. Si quelqu'un nous embêtait, il ne faudrait pas hésiter à composer le numéro et il n'y aurait pas de représailles vu que personne ne saurait que c'était nous qui avions appelé.

Et puis la récréation a sonné et on est tous descendus avec le ticket, sauf Ali qui est resté.

Après la récré, c'est l'étude. Et, après l'étude, je dois rentrer directement à la maison en respectant les feux et sans parler à personne.

Mais voilà que sur le trottoir, qui j'ai trouvé ? Jean-Philippe, l'invité de maman.

Il s'est approché avec un sourire bizarre.

— Bonjour, ma petite France. Que dirais-tu d'aller manger un gâteau ou une glace pour faire plus ample connaissance ?

J'ai pensé à ce que Maria avait dit pour la glace à la vanille et j'ai répondu que j'avais le droit de suivre personne.

— Ne me dis pas que tu ne m'as pas reconnu, France ? a dit Jean-Philippe en riant aux éclats, et il m'a carrément volé mon cartable tout en m'entraînant de force vers sa voiture.

Je ne savais pas quoi faire, surtout que j'ai pas de portable, quand Romain et Tibère sont sortis de l'école. Alors, j'ai crié un peu, ils m'ont vue, et Romain a sorti son portable pendant que Tibère fonçait vers les parents qui attendaient leurs enfants en parlant du temps qui se détraquait.

Un des papas a retiré sa casquette, il a couru vers Jean-Philippe qui était en train d'ouvrir sa portière.

— Ça ne se passera pas comme ça, mon petit bonhomme, il a dit.

— Mais qu'est-ce qui vous prend ? a demandé Jean-Philippe tout surpris.

— Il me prend que c'est vous qui êtes pris, espèce d'ordure. Et en plus la main dans le sac, a répondu le papa.

Au loin, on a entendu les sirènes. On ne pouvait pas dire que la police avait traîné. C'est vrai que, sur le ticket, il y avait marqué SOS.

Jean-Philippe n'avait plus du tout l'air d'avoir envie de rire.

— Mais dis quelque chose, France ! Dis qu'on se connaît.

D'abord, on se connaissait pas tellement. C'est même pour ça qu'il était venu me chercher. Ensuite, j'ai pas le droit de dire que maman a des invités pour ne pas ternir son image. Alors, j'ai gardé le silence et c'est comme ça que les flics se sont jetés sur Jean-Philippe et qu'il s'est retrouvé avec les menottes dans le fourgon.

Tous les parents m'ont entourée. Romain et Tibère étaient hyperfiers. Ils expliquaient qu'ils m'avaient tirée des griffes d'un prédateur. Moi, je pleurais à cause de la peine de mort que j'avais votée sans savoir que Jean-Philippe me guetterait à la sortie.

Pendant que Mme la directrice appelait maman pour qu'elle vienne me chercher d'urgence, Mme Chêne, qui avait fini avec Ali, a eu un petit entretien avec moi. Je lui ai tout raconté. Elle a promis de ne parler à personne de l'invité de maman et après elle a refait le numéro SOS pour qu'on libère le détenu.

N'empêche que, cette fois, j'ai bien peur d'avoir vraiment cassé son coup à ma mère, vu que le dimanche soir, quand je rentre de chez papa, il n'y a plus de draps presque pas sales dans le panier.

7

Un week-end sur deux

Aujourd'hui, c'est mon week-end sur deux chez papa, et, chez papa, c'est encore un peu chez moi parce que j'ai gardé ma chambre d'enfant où personne n'a le droit d'entrer sauf la femme de ménage. Comme j'ai tout en double dans la penderie, je peux y aller mains dans les poches, fastoche.

Mon grand-père est à la retraite, aussi c'est presque toujours lui qui vient me chercher à l'école, le samedi à onze heures et demie. Il ne se tient pas plié en deux sous le poids des ans comme le papi de Dong, et il n'a pas la boule à zéro comme celui de Tibère qui cache le désastre sous une casquette à carreaux. Mon grand-père a un mètre quatre-vingt-cinq, des cheveux blancs mais encore fournis et, sur sa veste, un ruban rouge qui prouve son courage pendant la guerre ; je peux être fière de lui.

Quand les CM1 ont descendu l'escalier et que je l'ai repéré dans le hall avec les autres parents, je me suis exclamée : « Tiens, voilà mon grand-père ! », et même si Fatima et Maria ont leurs deux parents sous le même toit, elles ont soupiré avec leurs yeux parce que leurs papis à elles sont restés au pays et qu'elles ne les voient qu'à l'occasion des grandes vacances. C'est agréable d'être enviée.

— Bonjour, jeune fille.

Il a retiré ses lunettes pour m'embrasser et comme il était garé sur le trottoir on n'a pas eu le temps de traînasser. Quand je suis montée dans la voiture, c'est les garçons qui ont bavé d'envie : « un supercoupé qui respecte l'environnement et muscle son style sans perdre son âme », fourni par mon père qui travaille pour la marque ; même qu'on court pour la Formule 1.

— Alors, jeune fille, la vie est belle ? a demandé grand-père, en lançant son moteur.

Depuis notre dernier week-end sur deux, il y avait eu Jean-Philippe et le secret d'État de Tibère, alors je n'en étais pas tout à fait sûre. Mais comme maman me défend de parler de ses invités et que grand-père n'est pas de la génération Internet, je me suis contentée de répondre : « Ouais », qui veut dire « oui » à moitié.

Toute la famille du côté de papa habite près de la « grande Duduche », c'est comme ça que grand-père appelle la tour Eiffel. Pendant le trajet, je lui ai demandé de ne pas regarder et j'ai enfilé la robe vert prairie de grand-mère que j'avais cachée au fond de mon cartable avec Gustave, mon lapin-doudou aux oreilles tellement sucées qu'on dirait deux vieux pis de vache. « Non mais, tu as senti l'odeur ? râle maman. Un jour, tu retrouveras cette horreur à la poubelle. » Elle est prévenue : si je l'y retrouve, c'est moi qu'elle retrouve plus.

— Ça y est, j'ai dit à grand-père.

Il m'a regardée dans son rétroviseur avec son sourire malicieux qui lui fait des éventails au bord des yeux.

— Avez-vous envie de connaître le programme, jeune fille ?

J'aime beaucoup les programmes, surtout les obligatoires ; au moins, là, pas de mauvaise surprise à craindre. Grand-père le sait, alors il m'a offert un agenda pour les marquer ; au bout, tu as le répertoire où tu alignes tous les noms que tu connais et après ça te fait chaud de les compter.

J'ai dit ok pour le programme.

— Eh bien, c'est parti ! Ouvrez grandes vos narines, jeune fille. Sentez-vous la délicieuse odeur du poulet fermier que vous mijote votre grand-mère ? Avec des frites évidemment, des vraies. Et pour le dessert, tarte aux pommes royale.

Toutes les tartes aux pommes de grand-mère sont royales, vu qu'elles sont couronnées d'une glace à la vanille. Quand j'ai marqué le menu sur mon agenda, j'ai senti les odeurs.

— Suite et fin du programme, si miss France daigne accompagner son grand-père au cinéma, il l'emmènera voir *Odette la Belette*.

Là, j'ai carrément applaudi. *Odette la Belette* est un dessin animé qui vient de sortir pour les fêtes, bien qu'on en soit encore éloigné. Anne-Laure et Ludivine, son amie de cœur, l'ont vu et elles l'ont trouvé trop. J'ai marqué *Odette* sous la tarte royale et, là, j'ai entendu la musique que je passe dans ma tête le soir avant de m'endormir.

— Grand-mère viendra avec nous ?

— Hélas, je crains que non. Figure-toi que nous avons Baptiste depuis hier. Ta grand-mère le gardera pendant que nous mènerons la folle vie.

Une boule a gonflé dans ma gorge. C'était MON week-end sur deux et grand-mère aurait dû mener la folle vie avec grand-père et moi. Baptiste, elle peut le voir tous les jours : il habite la porte à côté. Mais ça, on peut compter sur Églantine pour user et abuser...

J'ai regretté d'avoir mis la robe, mais comme la grande Duduche perçait déjà à l'horizon, c'était trop tard pour me rechanger, alors je me suis tournée du côté de la Seine et j'ai compté les péniches.

— Si tu veux, a dit grand-père, un jour, on ira tous les trois déjeuner sur l'eau. J'ai entendu dire qu'il y avait un orchestre. Je serai très fier d'inviter miss France à danser.

Il m'a refait son éventail dans la glace. J'ai pas répondu pour le punir.

On dirait que je suis abonnée au cinquième. C'est

l'étage de mes grands-parents, c'est aussi celui de papa dans ma maison d'avant, plus le nôtre à maman et à moi dans celle d'aujourd'hui. Sauf, que maman et moi, on n'a ni l'ascenseur, ni un balcon décoré de petits sapins sur lesquels tu étales des guirlandes de Noël qui disent aux passants que c'est super chez toi.

— Bonjour, trésor !

Grand-mère a ouvert la porte sans me laisser le temps de sonner ; ça voulait dire qu'elle me guettait avec impatience et je n'ai plus regretté pour la robe.

Son bisou sentait la poudre. Avec son maquillage, sa couleur qu'elle fait régulièrement et le sport pour garder la ligne, elle n'a pas vraiment l'air d'une grand-mère. Quand elle a découvert sa robe sur moi, elle a battu des mains.

— N'est-ce pas qu'elle est ravissante. J'étais sûre qu'elle te plairait !

Et là, elle a eu l'air d'une grand-mère.

— Viens vite embrasser Baptiste. Il t'attendait pour faire sa sieste.

Mon demi-frère a quinze mois, ses dents de devant, des cheveux blonds et des yeux bleus. Les clairs sont du côté de papa. Églantine est claire aussi. Les foncés sont du côté de Luce. Je suis l'exception.

Quand je suis entrée dans sa chambre, Baptiste s'est mis à danser dans son lit. Il m'a tendu les bras en piaillant : « Ance, Ance. » J'ai fait le loup qui adore dévorer les joues des petits garçons et il s'est mis à crier et à rire à la fois pour que je continue. Il sentait un peu comme Gustave, alors j'ai mordillé pareil ses oreilles, et là ça a été le délire.

— Il vaudrait mieux que tu ne l'énerves pas trop, a dit grand-mère d'une voix toute tendre pour m'éviter d'être jalouse. Si tu continues comme ça, ça sera la séance pour qu'il dorme.

La séance m'a rappelé le cinéma où elle ne viendrait pas avec nous à cause de ce petit con, alors je l'ai carrément mordu et là il a hurlé et grand-mère a cru que c'était parce qu'on le laissait.

— Tu vois comme il t'aime, elle a constaté.

— À nous deux, coco, a dit grand-père en retroussant ses manches pour couper le poulet pendant que grand-mère essorait les frites et que je vérifiais mon rond de serviette breton avec FRANCE marqué dessus.

Chez mes grands-parents, on mange du vrai, même si c'est moins bon que le faux. Par exemple, les poulets fermiers résistent à la dent pour la bonne raison qu'ils se font du muscle en courant en liberté, alors que ceux que maman achète sont élevés les uns sur les autres dans des barres, comme Ali, sauf que ça s'appelle des batteries et qu'ils fondent sous la dent. Les frites que grand-mère fait elle-même avec les grosses pommes de terre paysannes sont plus dures aussi et moins grillées que les frites allumettes précuites surgelées. Et, dans sa vraie purée, il y a des grumeaux. Ça doit être pour ça qu'on dit que la vérité, parfois, ça vous reste sur l'estomac.

— Alors, quoi de neuf à l'école, trésor ? a demandé gaiement grand-mère. Avez-vous fini par les recevoir, vos fameux ordinateurs ?

Je l'ai rassurée. Je lui ai raconté qu'après l'initiation une dame était venue nous parler des dangers d'Internet et que c'était très drôle, parce qu'elle avait des lunettes de presbytère comme grand-père et qu'elle aussi les balançait par la branche quand elle était énervée.

Grand-père s'est gondolé.

— Presbyte, jeune fille, presbyte. Pas presbytère.

Même s'il y a dedans un mot malpoli qui fait rire les garçons, j'ai promis de ne plus confondre.

Et c'est moi qui me suis gondolée quand grand-mère m'a appris qu'on disait « chausser » ses lunettes. Aux dernières nouvelles, on ne regarde pourtant pas avec ses pieds.

8

Odette la Belette

Pour remplir les salles pendant les fêtes, les dessins animés sont destinés aux petits comme aux grands, et il y avait beaucoup d'adultes accompagnés d'enfants qui faisaient la queue devant le cinéma.

Avant la séance, j'ai eu le droit de choisir entre un cornet moyen de pop-corn, un esquimau ou une boisson. Avec Coco, plus les frites, plus la tarte royale, je me sentais gonflée pire que Maria, mais j'ai quand même pris la boisson pour faire plaisir à grand-père.

Les dessins animés racontent les mêmes histoires que les contes de fées sauf qu'elles arrivent à des animaux. T'as pas toujours des bons parents et soit ils te perdent, soit c'est toi qui t'égares. Si tu veux retrouver ta maison, il faut que tu traverses des épreuves et, sans les amis ou les princes, inutile d'espérer t'en tirer.

Odette la Belette avait des parents, ok, mais elle flânait, le nez en l'air, et elle s'était perdue dans la forêt. Comme elle ne savait pas encore reconnaître ses proies, c'était un rat, que normalement elle aurait dû dévorer, qui devenait son prince. Il l'aidait à échapper aux chasseurs intéressés par sa fourrure et à retrouver son terrier. Après, le rat menait la vie de palais chez la famille Belette, ce qui ne s'était jamais vu de mémoire de rongeur.

Quand les parents d'Odette ont pleuré de bonheur en serrant leur fille contre leur cœur, et qu'elle s'est mise à chanter : « Chez moi, ah, ah ah », tous les enfants ont applaudi. Je retenais mes larmes, comme si moi aussi je m'étais perdue. Heureusement, grand-père n'a rien vu parce qu'il dormait.

Papa et Églantine étaient déjà arrivés quand on est rentrés chez grand-mère.

— Bonjour, ma poulette ! a dit papa joyeusement.

Maman m'appelle « mon chat », grand-père « jeune fille », grand-mère « trésor », papa « ma poulette », Baptiste « Ance ». Églantine m'appelle France et on évite de s'embrasser.

Je crois que je l'intimide pour la bonne raison qu'elle a plutôt l'air d'être ma grande sœur, et qu'elle m'a pris mon père, même si Luce dit que pour faire des saletés il faut être deux et que dans l'affaire il est loin d'être Blanche-Neige.

J'ai marqué le prochain week-end sur mon agenda, avec comme dessert un gâteau au chocolat pour le sentir d'avance. J'ai dit à grand-père que j'étais d'accord pour la promenade en péniche et la danse. « Tu trouveras le restant de poulet dans le sac de Baptiste, ma chérie », a dit grand-mère à Églantine. J'ai noté le « ma chérie », mais pas sur mon agenda. On a recommencé les adieux sur le palier et après on s'est rendus à pied chez papa qui portait l'autre idiot sur ses épaules.

Sitôt arrivés, j'ai couru dans ma chambre vérifier que tout était bien à sa place. Avant de partir, je tends des pièges partout. L'ennui, c'est que quinze jours c'est long, alors j'oublie où je les ai mis.

Mes peluches avaient l'air d'être en ordre sur le lit, mes jeux en bas de l'armoire et mes habits de rechange dans la penderie. J'ai sorti Gustave de mon cartable, je l'ai un peu respiré, et après je l'ai préparé sur mon oreiller. Il ne me restait plus qu'à me changer. Mon pyjama était froid et il ne sentait pas la nuit d'avant comme celui de la maison.

On a dîné au salon qui contient la salle à manger et la cuisine-bar, depuis qu'Églantine l'a modernisé et qu'il s'appelle « living », j'aime moins. Il n'y a plus de coins.

Papa et Églantine ont terminé Coco, moi j'ai mangé des saucisses et des chips, Baptiste de la purée en pot sur son siège à roulettes. Il n'arrêtait pas de lancer sa cuillère par terre pour qu'on la lui ramasse. Chaque fois, Églantine le menaçait : « Cette fois c'est la dernière », mais elle la ramassait quand même pour qu'il arrête de faire la comédie et papa m'envoyait des clins d'œil comme si on était dans le même camp, nous les grands, eux les enfants, et ça, je détestais.

J'avais envie d'appeler maman pour savoir si elle était à la maison, mais je n'ai pas encore droit au portable et tout le monde m'aurait entendue, alors non merci ! Quand je suis à la maison, c'est papa que j'ai envie d'appeler, mais là je ne peux pas à cause de maman. Il n'y a qu'à l'école où j'ai envie d'appeler personne pour la bonne raison que c'est défendu. Je crois que c'est pour ça que j'aime les programmes obligatoires : t'as pas le choix, alors t'oublies.

Dimanche, papa m'a emmenée déjeuner chez l'Italien. C'était plein de familles « pizza complète » : jambon, fromage, chipolatas, champignons, papa, maman, lardons... Ça nous a fait marrer.

Nous, on était à une petite table sur le côté. J'ai pris la Royale, papa la Quatre-saisons et on a partagé.

C'était un vrai moulin à paroles parce que, quand tu ne te vois qu'un week-end sur deux, le silence pèse. Alors que quand tu vis ensemble, si tu te tais, c'est comme si tu continuais à parler.

Bien qu'on soit rentrés sans se presser, il était seulement deux heures et demie quand on s'est retrouvés dans le living. Églantine a emmené le crétin au square et on s'est attaqués à mon calcul. Après, papa m'a proposé une partie de Monopoly. Il regardait tout le temps sa montre sous la table et quand ça a été l'heure de me ramener à la maison, je crois qu'on était tous les deux tristes d'être soulagés. J'ai oublié exprès la robe de grand-mère dans ma penderie ; ça me ferait une question en moins.

La voiture de mon père est une berline « haut de gamme et à coût allégé », surtout qu'il a pas eu à la payer vu qu'il travaille pour la marque. Durant le trajet, il a retrouvé la pêche et on a fait des projets pour la prochaine fois qu'on se verrait. Les projets, c'est comme les paroles qui remplissent le silence, sauf que là, ça gave le temps.

Moi, je me demandais comment sentirait la maison quand je pousserais la porte et s'il y aurait des draps sales dans le panier de la salle de bains, que je reniflerais ; je renifle tout, c'est une manie des filles, les garçons, moins.

À l'école, après Jean-Philippe dans le fourgon, quand la soutien psychologique m'avait prise à part dans le bureau de Mme la directrice où ça sentait Ali qui était passé sur le gril avant moi, j'avais fini par lui expliquer que si je casse chaque fois son coup à maman, c'est pour garder ma maison. J'ai déjà perdu celle de papa à cause d'Églantine qui crie et rit la nuit comme Baptiste quand je fais le loup. Sans compter les bruits que tu peux pas t'empêcher d'écouter même si t'as pas envie d'entendre. Alors moi, pas question de voir un invité prendre ses aises avec ma mère !

J'ai remarqué que les contes de fées et les dessins animés, c'est presque toujours des histoires de toit que tu veux garder sur ta tête pour t'y blottir. Et je crois bien que si j'arrive pas à me séparer de Gustave, c'est parce que j'ai pas encore envie d'être une jeune fille, même si grand-père m'appelle comme ça.

J'ai juste envie de pouvoir chanter : « Chez moi, ah, ah, ah », comme Odette la Belette, et que tous les enfants applaudissent.

9

Faire de son corps un allié

Ce matin, Hugo a écrit en gros sur le tableau un mot difficile à prononcer, surtout pour les dyslexiques : DIÉTÉTICIENNE.

C'est le métier d'une dame, un peu comme un docteur, envoyée par le ministre de l'Éducation nationale pour nous parler de notre assiette. On a commencé à rire à cause de l'assiette, mais Hugo nous a arrêtés tout de suite. Il faut dire que pour l'autre cadeau du ministre, les ordinateurs, ça s'était drôlement mal terminé.

— Écoutez-moi bien, mauvaise troupe. Cette fois, je compte sur vous pour faire honneur à votre école et tourner sept fois votre langue dans la bouche avant de parler.

On était en train de s'exercer en bavant comme des malades quand la diététicienne est entrée et on s'est tous levés comme une seule femme.

— Je m'appelle Blandine. Vous pouvez vous asseoir, elle a dit gaiement.

Elle n'avait pas l'air d'un docteur avec sa longue jupe fleurie et son panier au bras pareil à celui de grand-mère quand on va au marché à Paimpol. On aurait bien voulu voir dedans mais c'était caché sous un torchon à carreaux.

— Tiens, tiens, ne dirait-on pas que je suis attendue ?

elle a poursuivi avec enthousiasme en découvrant son nom sur le tableau.

Elle s'est assise à la place d'Hugo qui est resté debout en nous menaçant des yeux, et elle a sorti une assiette du panier.

— Regardez bien cette assiette, les enfants. Je suis venue vous parler de la meilleure façon de la remplir. Mais d'abord une question : qui est d'accord ici pour faire de son corps un allié ?

Hugo a dit oui avec sa tête, alors on a tous crié qu'on était d'accord, sans tourner notre langue. Et Romain a levé le doigt pour ajouter qu'au sport on faisait aussi de son corps un allié et que les ennemis c'était l'autre camp, par exemple au foot et au basket.

— Bien parlé, mon petit, a applaudi la diététicienne. Il s'agit en effet de se placer résolument dans le camp gagnant. Et, pour cela, rompre avec certaines habitudes et désigner nos ennemis sans se voiler la face.

Tiphaine a levé le doigt sans tourner sa langue et elle a demandé à Blandine si les ennemis de notre corps, c'était mettre les coudes sur la table et lécher son assiette puisqu'on s'occupait de l'assiette. Et la diététicienne, qui ne savait pas encore que Tiphaine a toujours un train de retard, a ri de bon cœur.

— Pas du tout, ma chérie. Cela veut dire mettre dans cette assiette des aliments dangereux pour notre santé ou trop la remplir, ce qui peut nous amener au surpoids. Je suppose que tous ici connaissent le mot « surpoids » ?

Là, Hugo nous a carrément mitraillés pour qu'on ne regarde pas Maria qui essayait de disparaître sous son siège. J'ai levé le doigt pour la sauver, et tout le monde a crié : « Allez, France ! Allez, France ! »

J'ai expliqué que ma grand-mère se plaçait résolument dans le camp gagnant. Chez elle, on dégustait du poulet fermier, des frites faites maison, de la vraie purée et des tartes en saison.

— Eh bien, nous allons applaudir ta grand-mère, a dit Blandine avec enthousiasme.

Et même si j'aime moins que le poulet en cage, les frites surgelées et la purée en poudre, je me suis sentie fière et tout le monde a ri, sauf Dong, quand Baudoin a dit qu'il serait très honoré si ma grand-mère l'invitait.

Après, Blandine s'est penchée sur son panier et elle en a sorti un petit sac de sucres qu'elle a empilés sur l'assiette.

— Je vous présente l'ennemi numéro un de votre corps. Sachez que, lorsque vous buvez votre soda préféré, c'est comme si vous avaliez d'un coup tous ces morceaux de sucre.

— Même si on le boit avec une paille ? a demandé Tiphaine.

Et Blandine a ri d'un peu moins bon cœur.

— Même avec une paille.

Elle a tourné la tête d'un autre côté.

— Et maintenant, qui voudra bien nous expliquer pourquoi le sucre est l'ennemi numéro un de notre corps ?

Tibère a levé le doigt. Il a expliqué que le sucre attaquait les dents, même celles de lait. Il le savait parce que son papa était de la partie. Si tu te les laves pas après chaque repas, le sucre y creuse des tranchées qui s'appellent des caries, les virus s'y mettent et détruisent les gencives. Total, quand tu deviens vieux, t'es bon pour le dentier qui se décolle tout le temps et que tu avales quand on t'opère.

Toute la classe a rigolé à cause du dentier qu'on avale. Hugo a levé la main en roulant des yeux terribles et, sauf Baudoin qui faisait semblant de s'étouffer avec son dentier, on s'est calmés et on a écouté sans se voiler la face Blandine nous raconter les muscles, les tissus, le stock de graisse, la combustion de l'insuline, les artères qui se bouchent, le cœur qui en prend un coup, le pancréas qui se détraque, tout ça. Et quand Maria a craché son bonbon dans son mouchoir, on a tous été très inquiets pour elle.

Après, Blandine a remis les morceaux de sucre dans le

sac et le sac dans le panier et elle a sorti deux paquets : un gros de chips et un petit de cacahuètes. D'un seul coup, on a tous eu faim.

— Je vous présente l'ennemi numéro deux de votre corps : le grignotage devant la télévision.

Et là, tout le monde s'est tenu à carreau parce qu'on grignote tous devant la télé, même nos parents.

— Tiens, tiens, ne dirait-on pas que vous vous trouvez en terrain connu ? elle a deviné avec malice. Je suis prête à mettre ma main au feu que vous avez d'autres exemples à citer pour le grignotage.

Toute la classe a levé le doigt et chacun a crié le nom de son ennemi préféré devant la télé : le pop-corn, les pistaches, les tartines de Nutella, le saucisson, le pâté de foie...

— Avec des cornichons, a trompeté joyeusement Baudoin.

— Cornichon toi-même, s'est moqué Romain.

— Répète, a dit Baudoin en remettant sa cravate droite.

— Silence ! a tempêté Hugo.

— Eh bien, si je vous disais que le cornichon est un allié de votre corps ? a repris Blandine avec moins d'entrain. À condition, bien sûr, de le déguster seul.

Et avant qu'on ait pu dire que seul, c'est beurk, elle a vite rentré les paquets dans son panier et elle en a sorti un poireau, une carotte et une pomme.

— Et voici qui nous amène tout naturellement aux meilleurs alliés de notre corps : les fruits et les légumes. Laissez-moi vous dire ce que contiennent ces magnifiques produits de la terre.

Nous, on les trouvait pas tellement magnifiques, surtout pour le grignotage devant la télé, mais comme Hugo gardait sa main en l'air, on a laissé Blandine nous raconter les vitamines, le magnésium et le calcium. On a juste ri un peu quand elle a dit que le calcium était l'ami du squelette, à cause du squelette.

— L'un de vous a-t-il quelque chose à ajouter ? elle a demandé avec précaution.

Dong a levé le doigt et il a ajouté que le riz était, lui aussi, un magnifique produit de la terre et que son papa serait très honoré si Blandine venait à l'Auberge des sept parfums, même qu'il lui ferait un prix d'ami.

Avant que Blandine ait remercié Dong pour l'invitation, Anne-Laure a ajouté sans tourner sa langue que quand elle ferait humanitaire, elle apporterait des sacs de riz sur son dos aux pays sous-développés. « Sous-développée, toi-même », a dit Romain. « Putain, y fa... », a répondu Anne-Laure et on a tous entendu la fin sans qu'elle la prononce. Ludivine, dont la maman est bio, verte et végétarienne et qui a un mot pour la cantine, a dit qu'on avait oublié les fibres qui abondent dans les légumes et favorisent la digestion. Là, Romain a fait un bruit malpoli. Tout le monde, sauf Ludivine, qui a pris le bruit pour sa maman, a rigolé en se voilant la face, et en se bouchant le nez. Et Blandine s'est mise à tambouriner sur l'assiette avec les mêmes yeux que la soutien quand elle balançait ses lunettes par la branche.

— Halte-là ! a crié Hugo et on s'est arrêté net.

Blandine avait perdu tout son entrain. Elle a versé la carotte, le poireau et la pomme dans son panier en fronçant les sourcils et elle a dit qu'il était temps de faire une petite pause en dégustant la surprise qu'elle nous avait apportée de la part du ministre. Quand elle a sorti une boîte de dattes du panier, Ali, qui ne dort que d'un œil dès qu'il s'agit de manger, a dit que la datte était un fruit de son pays et qu'il poussait en régime. On a tous fait attention à ne pas regarder Maria, à cause du régime. Blandine a chargé Ali de distribuer une datte à chacun et il a eu l'air si fier qu'on n'a pas réussi à être jaloux.

— Une seule ? Putain, il est rat, le ministre, a dit Anne-Laure, et Blandine qui parlait à Hugo en faisant des moulinets avec ses bras n'a pas entendu.

Lorsque chacun a été muni de sa datte, elle nous a conseillé de la savourer en fermant les yeux et en la regardant en pensée descendre dans notre corps et y répandre ses bienfaits. Elle a dit que la datte était l'amie des sportifs et la télévision notre ennemi puisqu'on la regardait en grignotant n'importe quelle saleté comme des crétins au lieu d'aller respirer le bon air au stade ou ailleurs.

Tibère a protesté qu'au contraire la télé était l'amie des sportifs vu qu'elle retransmettait les matchs, et c'est à ce moment-là que Tiphaine a avalé son noyau. Elle s'est mise à crier qu'elle allait devoir être opérée. « C'est pas grave, t'as pas de dentier », a dit Ahmed. Tout le monde s'est gondolé, et Blandine est allée terminer sa pause dans le couloir en claquant la porte.

10

Mauvaise pioche

— Cette fois, vous allez m'écouter, a menacé Hugo d'une voix terrible en regardant la porte. Si un seul d'entre vous, j'ai bien dit UN SEUL, a le malheur de parler sans être interrogé ou de sortir du sujet, ce sera l'avertissement général. ON RESTE DANS L'ASSIETTE.

C'est rare qu'Hugo se mette en pétard, alors on l'a tous bouclée, sauf Dong qui a dit que c'était pas juste, il avait tourné sa langue dans sa bouche et il était resté dans l'assiette avec le riz, c'était Ludivine avec ses fibres et Romain avec son bruit malpoli qui avaient sorti Blandine de ses gonds. Et pile quand il parle des gonds, ceux de la porte grincent et revoilà la diététicienne.

Elle a regagné sa place en marchant sur des œufs comme maman quand elle m'annonce du bout de la voix que ce soir on regardera pas notre film en amoureuses parce qu'elle sort et, si j'ai un problème, j'ai qu'à aller sonner chez le voisin qui est averti. Et, justement, Blandine a sorti deux œufs de son panier, plus une boîte de sardines, et elle les a posés tous les trois sur l'assiette.

— Je vous présente de grands alliés de votre corps, elle a récité sans enthousiasme. Commençons par l'œuf. Il y a de nombreuses façons de le déguster. Toi, là-bas, donne-nous donc un exemple.

« Toi, là-bas », c'était Achille qui n'avait pas encore parlé à cause de son nouvel appareil qui l'empêche de tourner sa langue dans sa bouche et en plus le fait cracher dès qu'il l'ouvre.

Il s'est levé poliment, il a montré ses bagues aux dents à Blandine, puis son voisin, Baudoin a dit qu'il voulait bien répondre à sa place et Blandine a seulement incliné la tête avec résignation.

— L'œuf, c'est dur avec de la mayonnaise en tube qui fait des tortillons qu'Achille le préfère, il a dit.

Et il a ajouté que si ceux qui étaient dans l'assiette étaient durs, on pourrait peut-être se les partager comme les dattes qu'on avait trouvées excellentes et qui nous avaient mis en appétit, sauf Tiphaine à cause du noyau. Et pourquoi pas se partager aussi les chips et les cacahuètes ?

Blandine a tapé du poing sur la table et l'assiette a sauté en l'air.

— Mille fois bravo ! elle a dit, sans répondre pour les œufs durs et le partage. Avec ta stupide mayonnaise en tortillons, tu viens tout simplement d'assassiner les bienfaits de ton œuf. Pourquoi pas du ketchup pendant que tu y es ?

Baudoin a dit que c'était pas SON œuf, mais celui d'Achille qui ne pouvait pas parler à cause de son appareil.

— Je ne veux pas le savoir, a crié Blandine en ressortant de ses gonds. Et personne n'a osé dire que l'œuf était excellent aussi sur le plat avec du ketchup.

— Et la sardine ? La sardine aussi, tu la manges avec tes tortillons ? elle a demandé à Achille qui a remontré ses dents.

Moi, la sardine, c'est sur du pain grillé, avec du beurre qui fond dessous, que je la préfère. Comme ça ne demande pas trop de temps à cuisiner, maman nous en fait souvent. Le seul souci, c'est la boîte qui est archidure à ouvrir, surtout sans homme à la maison. Si tu la rates, t'es obligée d'aller chercher les poissons au fond avec la fourchette, et, quand tu t'éclabousses pas, tu t'entailles.

Puisque Blandine ne voulait pas le savoir et qu'il y

avait l'avertissement, personne n'osait plus ouvrir la bouche, alors elle a pointé le doigt sur une élève qui ne s'était pas encore exprimée, comme Achille, et qui souriait avec convoitise à la boîte de sardines.

— Toi, petite, nous dirais-tu ce que la sardine apporte de positif à notre corps ?

— Mauvaise pioche, a dit Romain tout bas, mais on l'a entendu quand même, et là il s'est passé quelque chose de super : on a tous vu Hugo qui s'empêchait de rire, parce que « la petite », c'était Super Maria.

Maria est devenue rouge comme la boîte de sardines et, quand elle est sortie de sous son siège pour répondre, la diététicienne s'est aperçue de son erreur. Mais c'était trop tard, alors elle est devenue rouge elle aussi et elle n'a regardé que les yeux vu que les yeux ne sont jamais en surpoids, sauf de colère ou d'amour.

Maria a répondu que dans la sardine c'était l'huile d'olive vierge qui était l'alliée de notre corps, et comme les garçons pouffaient à cause de « vierge », elle a couiné que d'abord c'était marqué sur la boîte, et qu'ensuite, bientôt, on ne pourrait plus se moquer d'elle parce que, pas plus tard qu'hier, elle était allée avec sa maman voire une dame qui s'occupait elle aussi de l'assiette et qui s'appelait une nu... une nunu... une nutri...

— Une nutritionniste, a dit Blandine d'une voix toute douce.

Elle s'est levée. Elle est allée écrire le mot au tableau sous son métier et si Ali n'avait pas fait des bulles en dormant, on aurait pu entendre une mouche voler.

— Ta maman a pris la bonne décision, une décision courageuse, elle a dit à Maria avec sa nouvelle voix. En s'emparant du problème à bras-le-corps, vous échapperez toutes les deux à la maladie du siècle : l'obésité.

Les deux mots que Maria déteste le plus au monde, c'est « obésité » et « régime ». Elle a couiné que sa maman et elle n'étaient pas obèses mais enveloppées, et que c'était pas à cause du grignotage qu'elles avaient leurs kilos superflus, mais pour la bonne raison que leurs hormones étaient déréglées et se battaient avec leurs glandes. Par exemple, il suffisait qu'elles grignotent trois malheureuses chips pour se payer un kilo, alors que Tibère pouvait engloutir tout le paquet devant la télé sans prendre un gramme.

— Devant Internet, a rectifié Romain, et Blandine n'a pas eu l'air de comprendre pourquoi on s'empêchait tous de rire.

Quand Maria est lancée, tu peux plus l'arrêter, c'est pire qu'un typhon. Elle a expliqué qu'avec sa maman elles allaient commencer par laisser passer les fêtes parce que si on se prive pendant les fêtes, c'est cuit pour le sevrage. Mais que dès le 1er janvier au soir, elles s'attaqueraient à leur courbe avec la nutri-je-ne-sais-pas-quoi, en supprimant les graisses animales, les pâtes pressées, le tarama, l'araignée dans le bœuf, les gratins, les pizzas, et en les remplaçant par du pain à l'huile de lin, des buffets de salades, des sushis, une noisette de beurre, et en faisant de l'exercice pour brûler l'énergie. Total, l'été prochain, quand elles iraient au Portugal, elles seraient pas taxées avec leurs trois sièges pour deux et elles se partageraient l'économie.

Tiphaine, qui avait cette fois un avion de retard, est sortie de l'assiette pour qu'on lui explique le troisième siège. Et Ahmed y est rentré en demandant s'il avait le droit de poser à Maria une question dans le sujet. Blandine qui avait l'air très fatiguée a juste fait « oui » avec sa tête.

Ahmed s'est tourné vers Maria.

— Combien tu pèses exactement ?

— Tu n'as pas honte, Ahmed ? s'est écrié Hugo. Maria, tu n'es pas obligée de répondre.

Maria a dit qu'elle assumait ses rondeurs et qu'elle pesait exactement trente-sept kilos trois cents.

— Ouf ! a respiré Ahmed sincèrement.

Il a expliqué à Blandine que son papa chirurgien s'occupait aussi des grosses personnes et qu'il disait que si on perdait plus de quarante-cinq kilos d'affilée, ça devenait dangereux pour le cœur, alors avec ses trente-sept kilos trois cents, Maria ne risquait rien, sinon de disparaître.

Après, il a dit à Maria que, si elle voulait, son papa s'occuperait d'elle et de sa maman. C'est pas difficile : tu coupes l'estomac en deux ; tu fermes chaque morceau avec des agrafes, tu relies un petit bout d'intestin au morceau choisi et le tour est joué. Quand tu manges, ton demi-estomac est tout de suite rempli alors tu n'as plus faim et, forcément, tu fonds.

Là, c'est Blandine qui n'avait plus l'air d'être dans son assiette. Maria s'est mise à pleurer parce qu'elle voulait pas qu'on coupe son estomac, elle préférait faire sa courbe avec la nutritionniste. Alors Ahmed l'a consolée en disant qu'il existait des solutions de rechange, par exemple aspirer sa graisse avant de raffermir à l'électricité.

— Attention ! s'est écrié Israël.

Israël est au premier rang, tout près du tableau, alors personne n'a eu le temps de l'arrêter avant qu'il coure y écrire un troisième mot difficile à prononcer pour les dyslexiques : ESTÉTIQUE.

— Avec un *h*, a précisé Hugo.

Israël a ajouté le *h*, et il a expliqué que hélas, dans l'esthétique, il y avait plein de charlatans et que, si on faisait le mauvais choix, bonjour les dégâts.

Quand Israël est lancé, lui, c'est un tsunami. Il a raconté au public que son papa voyait défiler à longueur de journée dans son cabinet d'avocat des clients ratés qui n'avaient plus que leurs yeux pour pleurer, et encore s'ils les avaient gardés, leurs yeux ! Après il a commencé à donner des exemples épouvantables. Blandine a tapé sur l'assiette avec la boîte de sardines pour le faire taire et ce qui devait arriver est arrivé, l'assiette s'est cassée et on a vu que les œufs n'étaient pas durs quand ils ont fait une omelette sur le plancher.

Et même si personne n'avait ri quand Ali avait parlé du régime de dattes, que Blandine avait dit « à bras-le-corps » à Maria, et Israël « à la légère », on a tous eu droit à l'avertissement général.

Le soir, quand j'ai proposé à maman, pendant le grignotage devant la télévision, de remplacer les chips et les cacahuètes par des carottes, elle a pris ma température parce qu'elle a cru que j'étais malade.

11

La grande fête du goût

Pour remercier Blandine de son passage à l'école, Mme la directrice a organisé, vendredi à midi, la grande fête du goût.

Chaque élève a été prié d'apporter un plat ou un dessert de son pays et, si possible, de s'habiller comme son plat. Ceux qui n'étaient pas inscrits à la cantine ont eu le droit de venir, même sans payer, puisque c'était les mamans qui fournissaient la nourriture. L'école a offert l'eau, la meilleure alliée de notre corps.

Deux buffets ont été dressés dans la salle de gym, sous les paniers de basket : un salé et un sucré. Fatima, qui est algérienne, a apporté un couscous-merguez et elle était très jolie dans sa longue robe brodée, avec son khôl et ses bracelets. Maria, dont les ancêtres sont portugais, portait une mantille en dentelle sur ses cheveux, une orchidée à son T-shirt et un éventail à la main qu'elle n'arrêtait pas d'agiter avec fierté. Et comme le sevrage était pour après les fêtes, sa maman nous avait cuisiné des crêpes de morue.

Le papa de Dong a gâté l'école avec la spécialité de l'Auberge des sept parfums : une fondue pékinoise. Il a transporté en personne la marmite et le réchaud pour que Dong, qui ne voyait rien sous son chapeau pointu de cueilleur de riz, n'en renverse pas la moitié sur le trottoir.

— Tiens, de la fondue au chien ! a ricané Romain dont la grand-mère est l'esclave d'un pékinois.

— Répète un peu pour voir ? a menacé Dong en montrant son papa qui avait des épaules de samouraï, et Romain n'a pas répété.

Ahmed et Israël avaient tous les deux apporté des brochettes de mouton aux herbes et ils étaient habillés pareil, avec une robe sur leur pantalon. C'était très drôle.

Ali n'avait pas de plat. Quand on lui a demandé pourquoi, il a répondu que c'était pas au tour de sa maman d'être aux fourneaux.

— Alors, c'est le touraki ? a demandé Tibère.

— Qui c'est le touraki ? s'est renseignée Tiphaine, qui arrivait avec un pain surprise.

Et comme Ali était au bord des larmes, Hugo a dit qu'on éclaircirait le mystère du touraki plus tard. D'ailleurs, lui non plus n'avait pas de plat vu que sa maman habitait à perpète, et, si on voulait bien, son copain Ali et lui piqueraient allègrement dans nos plats à nous.

Maria n'était pas d'accord. Anne-Laure, si, parce qu'elle veut faire humanitaire, et quand elle a prêté son mouchoir à Ali dont le nez coulait comme une fontaine, on a tous crié : « Ah ! les amoureux ! Ah ! les amoureux ! » Mais on n'a pas pu voir si Ali rougissait pour la bonne raison qu'il le cache sous sa couleur.

C'était moins marrant pour ceux qui n'avaient pas d'ancêtres étrangers et qui n'ont pas pu se déguiser et sont venus avec de la nourriture de tous les jours.

Quand maman rentre de son rayon parfumerie, elle n'a pas vraiment la tête à faire la cuisine.

— Arrête de me tanner avec ton histoire de plat, mon chat. Tu n'as qu'à te servir dans le congélateur.

J'avais choisi les coquilles saint-jacques à cause des poireaux nouveaux qui plairaient à Blandine. Et pour qu'elles soient pas glacées à l'intérieur, je les avais sorties bien à l'avance et je les avais mises sous mon radiateur.

Le vendredi, le carton était tout ramollo et la sauce

coulait sur le plancher. J'avais râclé et après versé directement dans le plat. La dame qui s'occupait de réchauffer à l'école avait ajouté un petit bouquet de persil pour mes beaux yeux. Il n'y a pas que maman qui reçoit des bouquets avec des compliments.

Le buffet sucré était bien garni aussi. Autour du cageot de fruits, offerts par le ministre, il y avait les desserts des pays : des flans, des mousses, des cheveux d'ange, des quenelles de semoule, un pudding, une omelette soufflée. Et le gâteau à la noix de coco que Maria avait apporté en plus de ses crêpes de morue.

Avant que la dégustation commence, Mme la directrice a frappé dans ses mains pour obtenir le silence. Après, elle a chaussé ses lunettes de presbyte et elle a lu son discours.

— Applaudissons bien fort Mme Coquenpâte grâce à qui vous allez tous pouvoir grandir en bonne santé.

Là, Mme la directrice avait oublié de tourner sa langue dans sa bouche parce que personne ne savait que Blandine s'appelait Coquenpâte et on a tellement ri qu'on n'arrivait plus à applaudir.

Après, elle nous a recommandé de goûter un peu de chaque plat afin d'effacer les frontières l'espace d'un repas pris en commun. Et là, elle parlait comme les poètes et Anne-Laure et Ludivine ont applaudi sincèrement pour les frontières.

Toutes les classes, même les maternelles, se sont précipitées sur le buffet. Mais avec les assiettes en carton, les sauces qui se mélangeaient, les couverts en plastique, ça n'était pas une petite affaire d'effacer les frontières et sans le secours des maîtresses, c'est surtout nos pieds qu'on aurait nourris.

Ça a commencé à se gâter quand Romain a sorti de son baggy une bouteille de ketchup pour améliorer le riz d'Anne-Laure. On lui en a tous demandé un peu et il faisait la distribution quand Coquenpâte l'a pris sur le fait et elle a piqué une crise. Je crois qu'elle n'aime pas les CM1.

— C'est une hérésie, une hérésie. Donne-moi ça tout de suite.

Romain a lancé l'hérésie à Tibère, qui a fait une passe à Baudoin, qui l'a transmise à Jérémy du CM2. Maxime a dribblé, Ludivine a réussi à lui choper le ballon et elle me l'a passé. Tout le monde a crié : « Allez, France ! Allez, France ! » Et j'ai réussi le premier panier de ma vie.

Malheureusement, le panier se trouvait sur la fondue pékinoise et la fondue sur le réchaud. Ça a éclaboussé partout, et Dong qui faisait le service en a reçu plein ses lunettes, et il s'est brûlé en voulant retirer la bouteille de la marmite.

Les CM1 ont été privés de dessert et consignés dans leur classe, sauf le blessé qui est allé à l'infirmerie. Maria couinait que c'était pas juste. Elle n'avait pas joué au basket, alors elle avait le droit de reprendre son gâteau à la noix de coco. En plus, elle avait perdu sa fleur et son éventail.

Hugo, qui avait perdu sa toque, lui a expliqué qu'être tous frères, c'était partager le même sort et, à nous, il a dit que notre sort était mal parti. Après seulement six semaines d'école, ça nous faisait déjà deux avertissements. À trois, c'est le blâme et le blâme ouvre la porte au renvoi.

Tibère a pleuré parce que son sort à lui était joué : cette fois, c'était comme si la télé était déjà à la cave. Et pendant que les autres se gavaient d'œufs et de sucre avec le buffet des desserts, nous, on a dû copier sur toute une page que le ketchup était l'ennemi du goût, du palais et de la bonne cuisine française.

Le soir, quand je suis rentrée à la maison, j'ai tout de suite appelé grand-mère pour lui annoncer que j'étais championne de basket et lui demander ce que c'était qu'une hérésie. Elle a répondu que ça voulait dire commettre une faute contre la religion.

J'ai pas bien compris pour le ketchup, sauf que le lendemain, plusieurs élèves manquaient à cause d'une intoxication alimentaire et que c'était peut-être ma faute, vu que saint Jacques était représenté sur la boîte et qu'il y avait marqué dessous : « À déguster aussitôt après décongélation », alors que j'avais laissé les coquilles deux jours sous mon radiateur et que, malgré le bouquet de persil, elles sentaient pas comme d'habitude.

Le plat de gala de maman ne me rappelle pas de trop bons souvenirs, alors j'en avais pas pris et j'ai pas été malade

12

J'irai pas cracher sur vos tombes

La Toussaint, c'est la fête de tous les saints et le jour de l'année où on va fleurir ses morts, qu'on appelle ainsi chers disparus. Pour grand-mère, c'est commode, ils sont tous réunis dans le même caveau à Paris et elle a grand-père et une voiture pour transporter les pots.

Avec mon anniversaire, le 14 juillet, le 1er novembre est ma date préférée. Les familles se rassemblent au cimetière, elles parlent bas avec respect, elles trient dans leurs souvenirs en essayant de ne garder que les bons et, après avoir récité une petite prière, nous on rentre chez grand-mère faire un bon goûter.

Papa n'avait pas voulu infliger la corvée à Églantine et à Baptiste, mes grands cousins étaient au foot, mes oncles et tantes occupés ailleurs, alors on s'est retrouvés seulement nous trois pour fêter nos morts mais ça a été bien quand même.

Grand-père a un peu jardiné, grand-mère a disposé les nouvelles fleurs devant le caveau et pendant ce temps j'ai fait mon tour. Pas loin, il y avait une tombe sans personne. C'était marqué « REGRETS ÉTERNELS » sur la pierre toute craquée et on pouvait pas lire le nom à cause de la mousse. J'ai demandé à grand-mère la permission d'offrir un petit bouquet au disparu inconnu. Nous l'avons déposé ensemble sur sa tombe en demandant au bon Dieu de l'accueillir si ce n'était déjà fait, et quand on s'est retrouvés dans la rue, mission accomplie, j'ai eu l'impression de voler.

Du côté de maman, le berceau de la famille est à Marseille où les parents de Luce sont enterrés. Ça fait cher le trajet pour les fleurir, alors tu manques une fois, après l'habitude s'installe et la tombe se retrouve à l'abandon. Comme, en plus, Luce croit que Dieu c'est de l'opium, les pauvres n'ont même pas droit à une petite prière de loin. Et tout ça fait que, pour elle, le 1er novembre est un jour comme les autres.

Moi, j'aime les jours spéciaux que je marque sur mon agenda en goûtant de la joie à l'avance. Les jours spéciaux de Luce, c'est ceux où elle va aboyer dans la rue en brandissant des pancartes.

Quand je lui ai demandé où je mettrais ses fleurs après sa mort, vu qu'elle a rien de réservé à Paris, ça n'a pas eu l'air de lui faire plaisir.

— Tu me vois sous terre entre quatre planches, moi qui suis claustro ? J'ai pris mes précautions, figure-toi. Je serai incinérée.

Claustro, c'est avoir peur d'être enfermé. Incinéré, c'est quand on te brûle dans ton cercueil avant de te mettre dans une urne. Là, t'as trois choix : l'urne dans un columbarium, l'urne dans la cheminée de tes descendants, ou tes cendres répandues sur un paysage que tu as chéri de ton vivant. Comme Luce est claustro et que ses seuls descendants c'est maman et moi, j'espère qu'elle choisira d'être répandue.

Pour profiter de moi pendant les vacances de la Toussaint, Luce s'était construit un pont avec deux jours de RTT. Elle est venue me chercher dès potron-minet à la maison. On a pris le RER, puis le bus, puis nos pieds, et on est arrivées à bon port.

C'est une HLM dans une banlieue sensible où t'as pas

intérêt à laisser ta bagnole dans la rue la nuit. De toute façon, Luce n'en a pas et, croyez-moi, c'est sans regret puisque Fernando, mon papi que je connais pas, était garagiste. Il buvait de la bière, sentait l'essence et ne pensait qu'au foot. Si vous ajoutez qu'il faisait rien à la maison, vous comprendrez pourquoi elle l'a viré comme un malpropre. Et quand elle pense qu'il a fallu que sa fille unique, belle comme le jour, s'entiche d'un vendeur de voitures, même haut de gamme, elle voit rouge.

— C'est sans doute pour ça que tu milites chez les Verts, s'amuse maman qui a de l'humour.

En chemin, on a loué une cassette pour égayer notre soirée. J'ai choisi *La Nuit des morts vivants*.

— Pourquoi pas *J'irai cracher sur vos tombes*, c'est le jour, a rigolé le vendeur malpoli et on n'a pas pris la peine de lui répondre.

Sur la pelouse, devant les HLM, il y avait une partie de foot qui m'a donné des fourmis dans les pieds. M. Troley, avec UN SEUL L, notre prof de gym, accepte les filles dans l'équipe pour punir les garçons qui l'appellent « Trolleybus ». Il ne faut jamais se moquer du nom de famille qui te suit toute ta vie.

Sauf Super Maria qui est trop lourde, et Tiphaine qui est dispensée pour manque d'équilibre, on n'est pas si nulles que ça, surtout Anne-Laure qui s'exerce avec ses frères. Chez les garçons, c'est Dong qui est si léger qu'il tombe comme une feuille dès qu'on le touche, et Ali le meilleur vu qu'il s'entraîne, y compris la nuit, sur le terrain de sa barre, en espérant en sortir par le haut grâce au sport. C'est aussi pour ça qu'il dort tout le temps à l'école.

Le loft de Luce est immeuble B, escalier C, porte F. Un loft, c'est quand tu as tout dans la même pièce : séjour, chambre à coucher, cuisine et salle d'eau.

Dans le séjour, il y a le canapé-lit une place de Luce, mon fauteuil-lit qu'on déplie après avoir replié la table de la salle à manger et deux sièges escamotables. La salle d'eau est cachée derrière un paravent de sorte qu'on ne t'admire pas sur le trône, et la cuisine se trouve juste à côté avec un réchaud électrique deux plaques et le lavabo de la salle d'eau en guise d'évier. L'ennui, c'est qu'il est souvent bouché.

Comme le loft de Luce s'appelle aussi « studette », et que la studette est encore plus petite qu'un studio, les odeurs de cuisine ont une fâcheuse tendance à s'incruster jusque dans ton oreiller et elle préfère acheter des plats tout mitonnés.

Pour déjeuner, on a dégusté une aile de poulet chacune, des chips et de la mayonnaise en tortillons. Comme dessert, des yaourts à la banane. La volaille se découpait rien qu'à la regarder, alors elle n'avait sûrement pas couru en liberté, mais j'ai pas dit à Luce que c'était un ennemi de notre corps, comme les chips et la mayo, pour la bonne raison que son corps, ça fait longtemps qu'elle s'en fout. Il n'y a qu'à voir comment elle s'habille et tout. Alors on s'est bien régalées et après on est passées aux choses sérieuses.

13

Je demande papi Fernando

— Alors, à quoi veux-tu jouer, Francesca mia, elle a demandé. Dominos ? Dames ? Monopoly ?

— Sept familles.

— Encore ?

On a dû entendre son soupir jusqu'au dernier étage. Luce déteste le jeu des sept familles, qui contient la famille Garagiste, ma préférée, ce qui la met encore plus en pétard. Comme la colère délie les langues, j'en profite pour me renseigner sur mon papi que je ne connais pas et qui était dans le métier.

J'ai sorti le jeu de mon sac et j'ai donné les cartes sans mélanger : sept chacune, le reste dans le talon.

Ça m'a pas étonnée d'avoir le fils Garagiste dans mes sept vu que, pour abréger le supplice de Luce, je traficote un peu les cartes à la maison. Tu as le droit pour la bonne cause. En échange du fils Garagiste, j'avais offert à Luce la fille Fermier, sa famille préférée à elle qui est verte.

Le fils Garagiste rit de toutes ses dents en gonflant un pneu. Il n'a pas l'air d'avoir inventé la poudre, juste d'essayer de t'en jeter plein les yeux comme Romain.

— Dans la famille Fermier, je demande la mère, a commencé Luce, résignée à souffrir.

Je ne l'avais pas, alors elle a pioché et, vu sa grimace, la carte devait sentir sérieusement l'essence.

— À toi, elle a jappé.

— Dans la famille Garagiste, je demande le père.

— Attrape ce con, elle a répondu en le faisant voltiger.

Avec ses cheveux en bataille, ses gros sourcils et sa moustache fournie, le père Garagiste a l'air d'un marrant. Il fait le plein d'une cliente à l'aide d'un tuyau genre lance à incendie. Un jour, Luce a dit que le tuyau était un symbole sexuel mais elle a refusé de m'expliquer. Et quand le soir j'ai demandé à maman ce qu'elle avait voulu dire en lui montrant la carte, maman n'était pas contente du tout. Elle a même menacé de me confisquer le jeu alors que je n'avais rien fait.

N'empêche qu'avec tout ça, ça commençait bien pour moi, j'avais déjà deux membres de la famille, le père et le fils.

Il m'a fallu patienter un moment pour tirer la fille. Elle a des cheveux blonds en queue-de-cheval et elle joue les stars, assise sur un pneu, en montrant ses jambes. La mère Garagiste (maman) lave gaiement le pare-brise d'une voiture en faisant un clin d'œil coquin au conducteur. Ce qui me fait marrer, c'est que la grand-mère Garagiste (Luce) porte un gros bidon d'essence. Quant au grand-père, il tient la caisse et on peut le voir arriver de loin dans le talon avec sa carte toute cornée par une mauvaise joueuse que je ne nommerai pas.

Il a les mêmes sourcils et la même moustache fournie que le père Garagiste, mais blancs à cause de son âge. Dans son sourire, on voit qu'il prend la vie du bon côté.

Il était déjà quatre heures quand j'ai pu enfin étaler ma famille complète. J'en ai profité pour poser à Luce la question qui fâche.

— Et papi Fernando, où il est ?

— Un : ça n'est plus ton papi ! Deux : il peut être au diable, c'est le cadet de mes soucis !

— Et « au diable », c'est où ? À Marseille ?

— Tu lui demanderas toi-même.

Ça voulait dire que j'aurais pas encore ma réponse aujourd'hui, alors j'ai baissé les bras et c'est Luce qui a gagné. Elle, quatre familles : la Fermière, la Menuisier, la Pêcheur et l'Épicier. Moi, trois : la Garagiste, la Maçon et la Pâtissier qui est la famille préférée de Super Maria.

— C'est la dernière fois que je joue à ton jeu de... bref, tu me comprends, a déclaré Luce.

Elle avait vraiment l'air dans le cirage et, en me rappelant qu'elle économisait ses jours de RTT pour me choyer au lieu d'en profiter tranquillement avec ses aboyeuses, j'ai eu du remords et je me suis promis d'oublier le jeu à la maison la prochaine fois. Mais, avec moi, c'est toujours la curiosité qui l'emporte sur les promesses.

On a dîné au lit : des pâtes avec du ketchup et une mousse aux pépites de chocolat, devant *La Nuit des morts vivants*. Luce s'est endormie avant la fin du film. Elle avait l'air d'une petite fille qui boude avec sa bouche qui descendait dans son cou. Je ne pouvais pas m'empêcher de la regarder et j'avais honte, comme si je lui volais ses secrets.

Maman dit que la vie ne l'a pas gâtée et qu'il faut lui pardonner d'être amère, surtout qu'à son âge, et avec sa dégaine, elle n'a aucune chance de la refaire. Papi Fernando, lui, a refait sa vie avec une autre plus gentille. Alors, au diable ou ailleurs, Luce doit se dire qu'il est heureux et c'est pas fait pour la consoler. Finalement, ça serait moins dur pour elle si elle avait sa tombe à fleurir.

Quand j'interroge maman sur mon papi que je ne connais pas, elle, ça la rend seulement triste.

— Il était gentil, ton papa ?

— Comment veux-tu que je te réponde, mon chat ? Je n'avais pas quatre ans quand Luce l'a viré. Je me souviens juste de sa moustache qui me chatouillait quand il m'embrassait.

Alors, il l'embrassait ? Rien que d'y penser, ça me fait

rêver : je sens la moustache du grand-père Garagiste qui chatouille ma joue.

Un jour où maman avait nocturne dans son grand magasin, j'ai trouvé une photo de famille sous ses strings. Luce n'a pas de rides comme maintenant, sa figure ne pend pas, ni sa poitrine. Tu jurerais qu'elle sourit. Sur ses genoux, le bébé, c'est forcément maman et, derrière elles, le gros monsieur à moustache qui rigole, c'est papi Fernando.

Je l'ai marqué à F sur mon agenda, juste au-dessous de France. Moi, j'occupe plusieurs lignes avec toutes mes adresses et mes numéros, lui, je n'ai rien à mettre à côté. Mais ce qui me tue, c'est qu'il ne sait pas que j'existe. Alors, je fais de la transmission de pensée en regardant son nom très fort et en répétant : « Je suis là, papi, je suis là, papi, coucou ! » Il y a des gens qui croient que ça marche, même des présidents de la République.

En attendant de le retrouver, je me suis inventé un film que je me passe le soir avant de m'endormir. Un matin où je suis seule à la maison, voilà qu'on sonne (la sonnette a été réparée). J'ouvre en oubliant que je n'ai pas le droit en l'absence de ma mère, et qui voilà ? Le grand-père Garagiste, sauf qu'il n'est pas à la caisse mais sous mon nez et qu'il ne sent pas l'essence.

Il demande poliment : « Suis-je bien chez Elisa Moreira Paoli ? »

Elisa, c'est maman. Moreira, le nom de famille de Luce qui l'a récupéré après le divorce. Paoli, le nom de mon papi.

N'osant croire à mon bonheur, je réponds « oui » avec les yeux.

Papi Fernando me regarde plus profond, comme grand-père quand j'essaie de lui cacher un chagrin.

— Et toi, tu es qui, ma cocotte ? il demande d'une voix toute douce.

Là, c'est le top du film. D'ailleurs, je commence à pleurer.

— Je suis France, ta petite-fille.

C'est à son tour de ne plus pouvoir parler. Il s'accroupit et il m'entoure de ses bras. Sa moustache chatouille ma joue exactement comme j'imaginais.

Mais comme tu peux pas rester toute ta vie à te bisouiller dans le bonheur, le rideau tombe et je me retrouve comme une idiote, seule avec Gustave, sur mon oreiller trempé.

14

Un mystère s'éclaircit

À l'école, on a commencé les contrôles : un devoir pour chaque matière, français, calcul, histoire-géo et sciences. Mes meilleures notes sont en français et rien ne peut faire plus plaisir à grand-mère. Un jour, je serai peut-être chef de rang. Pour l'instant, quand c'est pas Ludivine, c'est Anne-Laure qui l'est.

La chef de rang ramasse les copies, veille à ce qu'aucun élève ne soit prisonnier des toilettes, efface le tableau et tape la brosse contre le mur de la cour en envoyant dans l'air des petits nuages de mots.

Sauf Ahmed et Israël qui sont bons mais décidément trop bavards, c'est les filles qui sont en tête et ça rend les garçons enragés.

Pour le cadeau de Noël des mamans, Hugo a eu la bonne idée de joindre l'utile à l'agréable : un livre fabriqué de nos mains avec, à l'intérieur, des poèmes et des dessins sur des feuilles volantes qu'on collera ensuite dans une couverture. Les poèmes, on les copie. Les dessins, on les invente. On a déjà trouvé le titre du livre et Hugo l'a écrit en lettres de couleur au tableau.

JOYEUX NOËL, MAMAN CHÉRIE

C'est gai.

Et voilà que ce matin, pendant qu'on copiait : « Si j'étais la feuille que roule l'aile transparente du vent », de Victor Hugo, on a entendu Ludivine demander à Hugo Victor qui passait dans les rangs pour tirer les oreilles des ânes si elle avait le droit de faire DEUX livres, vu qu'elle avait déjà plein de feuilles volantes d'avance de poèmes et de dessins.

— Et pourquoi pas trois, Einstein ? a rouspété Romain.

Tibère a déclaré que si Ludivine avait le droit de faire DEUX livres, il en ferait DEUX lui aussi, et même qu'il donnerait le deuxième à son papa dentiste, qui n'était pas content du tout d'être passé à l'as chaque année par l'école, alors que figurez-vous il a quand même pris, avec sa fraise, une toute petite part dans sa naissance et une grosse dans les sous pour son éducation.

Là, on a tous crié qu'on voulait en faire DEUX, et moi TROIS, pour en offrir un à ma grand-mère qui adore la lecture, plus un à Luce qui sans ça mourrait de jalousie, même si elle lit que le journal de la télé.

— Je propose un vote à main levée, a dit Baudoin en remettant sa cravate droite et en montant sur sa chaise.

— Baudoin, tu descends immédiatement, a ordonné Hugo. Exécution !

En s'exécutant, Baudoin a sauté sur les pieds de Dong qui a crié qu'il l'avait fait exprès. Ludivine a dit à Hugo qu'elle préférait renoncer. Si on votait, le résultat était couru d'avance vu que ses succès nous rendaient tous envieux. Et sauf Anne-Laure, l'amie de cœur de Ludivine et la deuxième de la classe, qui nous rend tous envieux aussi, on a manifesté notre indignation, comme Luce quand elle aboie contre les favorisés.

Hugo est retourné à son bureau. Il a obtenu le silence et il a dit qu'il en connaissait un paquet qui auraient déjà du mal à arriver à temps au bout de leur seul et unique livre et que ceux-là feraient mieux de réfléchir avant de crier cocorico et on a ri — sauf Ludivine et Anne-Laure — à cause du cocorico.

Après, il a dit que voter était une chose sérieuse, alors pour commencer on allait demander à Ludivine à qui elle destinait son deuxième livre.

— Vas-y, Ludivine, nous t'écoutons.

D'habitude, Ludivine répond au quart de tour. Là, elle a fait « hon hon » avec sa tête. On a regardé Anne-Laure, et comme elle non plus ne répondait pas, même pas « putain », on a compris qu'elle était dans la confidence.

— Bien, bien, a constaté Hugo. Dans ce cas, nous allons essayer de deviner. Le deuxième livre, c'est pour ton papa que tu veux le faire, Ludivine ?

Ludivine a fait « hon hon » encore plus fort avec sa tête.

— Alors... pour ta grand-mère, peut-être ?

Cette fois, en faisant « hon hon », Ludivine a eu un petit sourire parce que, en général, les grands-mères c'est agréable.

— Vas-tu m'obliger à donner ma langue au chat ? a demandé Hugo.

On a ri à cause du chat et c'est à ce moment que Fatima s'est levée.

— Moi, je sais à qui Ludivine destine son deuxième livre. Elle le destine à sa tante qui vient la chercher quand sa maman peut pas.

Là, Ludivine a dressé une tête de serpent. Elle a regardé Fatima comme si c'était sa pire ennemie. On l'a presque entendue siffler et on a compris que Fatima avait visé dans le mille.

— Et tu mettras quoi comme titre, « Joyeux Noël Tata chérie » ? a rigolé Tibère.

On a ri à cause de « Tata chérie », et d'un seul coup la colère a délié la langue de Ludivine, comme Luce quand je tire le grand-père Garagiste. Elle a crié :

— Ce que je mettrai ? Je mettrai : « Joyeux Noël MAMAN chérie », parce que ma tante c'est aussi ma maman.

On a ri encore plus fort, et cette fois c'est la langue d'Anne-Laure qui s'est déliée.

— Putain, arrêtez. Les deux mamans c'est vrai. Même qu'elles sont mariées avec le Pacs.

— Aaaarrgh, a fait Hugo, comme s'il avait reçu un coup de boule dans l'estomac.

Tiphaine a levé le doigt en demandant quel paquet c'était et comme Hugo était en train de courir au fond de la classe en sortant son portable, c'est Romain qui a répondu.

— C'est pas le « paquet », c'est le Pacs, patate.

— Ça se paiera, a crié Tiphaine. Je dirai à mon père que tu m'as appelée patate.

— Attention, a dit Israël, le Pacs c'est pas un vrai mariage. Il n'est pas marqué sur le livret de famille et tu peux pas le faire à l'église.

— Ce qui est poilant, a rigolé Tibère, c'est que les messieurs qui font le Pacs, on les appelle des « tantes ».

— Et moi j'en connais un qui va voir la télé descendre à la cave, a menacé Hugo qui avait fini de téléphoner, et Tibère a fait ses yeux d'innocent.

Hugo est venu à côté de Ludivine qui pleurait sur sa feuille volante, près d'Anne-Laure qui pleure jamais mais qui pleurait aussi quand même, et ça m'a fait chaud. C'est ça, les amies de cœur : leurs cœurs se brisent en même temps.

— Écoutez-moi bien, a dit Hugo d'une voix terrible. Le premier qui osera plaisanter sur ce que Ludivine vient de nous révéler ira directement dans le bureau de madame la directrice. Quant au deuxième livre qu'elle souhaite exécuter pour... Bref, nous allons voter comme l'a proposé Baudoin. Ceux qui sont d'accord lèvent la main.

Et il a levé ses deux mains jusqu'au plafond en nous regardant si méchamment que, sauf Ali qui dormait et Tiphaine qui demandait si les deux livres de Ludivine étaient destinés à ses mamans ou à ses tantes, on a été bien obligés d'être d'accord.

Ludivine a essuyé ses larmes. Elle a aussi essuyé « l'aile transparente du vent » de Victor Hugo, et elle a dit que si elle voulait que son deuxième livre soit aussi top que le premier, elle avait intérêt à s'y mettre tout de suite. Et sitôt dit, sitôt fait.

Nous, on n'aurait pas dit non à un petit merci, au moins à une petite larme en plus, mais grand-mère dit souvent qu'il faut aider son prochain sans en attendre de reconnaissance.

En tout cas, un mystère s'était éclairci : pas difficile d'être chef de rang quand tu as DEUX mamans pour te faire travailler à la maison.

15

♂ ♀

Et après la récré où Ludivine a disparu, qui on retrouve dans la classe, assise à la place d'Hugo, ses lunettes de presbyte – pas presbytère – aux branches repliées comme les pinces d'une étrille, posées sur le bureau ? Mme Chêne, la soutien psychologique.

Pour moi, notre troisième rencontre.

La première, c'était après l'initiation à Internet. La deuxième, quand Jean-Philippe était venu me draguer à l'école. Cette fois, c'est forcément à cause des deux mamans de Ludivine : toujours le même sujet.

— Asseyez-vous, les enfants, elle a dit d'une voix toute calme.

On s'est assis et Hugo est resté debout derrière elle en nous regardant les uns après les autres avec soupçon, comme les gardes du corps dans les films, sauf que là, c'était le corps de la soutien qu'il gardait.

Elle a désigné le tableau où « JOYEUX NOËL, MAMAN CHÉRIE » était écrit en lettres de couleur.

— Maman ! Est-il un plus beau mot au monde ! elle a commencé avec enthousiasme. Et quelle belle idée d'offrir à la vôtre un livre pour Noël ! – Puis sa voix a un peu changé : – À ce sujet, j'ai appris que votre amie Ludivine avait exprimé le désir d'en faire deux et qu'elle vous en

82

avait expliqué la raison. Si vous voulez bien, nous allons essayer d'éclaircir ensemble la situation.

Tiphaine, qui a toujours peur d'avoir son train de retard, a levé le doigt.

— Vas-y, ma mignonne, l'a encouragée Mme Chêne.

— C'est pas la peine d'essayer, la situation est éclaircie, elle a fanfaronné. Ludivine a deux mamans qui sont ses tantes, c'est pour ça qu'elle veut faire deux livres.

La dernière fois que la soutien psychologique était venue, Tiphaine en était encore aux cigognes qui versent les bébés dans les cheminées. Là, ça allait vraiment trop vite pour elle, c'était le TGV qu'elle avait de retard, alors on a seulement ri avec les yeux.

— Je te remercie, Tiphaine, a dit Mme Chêne avec patience. En réalité, Ludivine a une VRAIE maman qui l'a portée dans son ventre, et une autre qui, en quelque sorte, l'a adoptée. Et toutes les deux ont souhaité l'élever sous un même toit comme si elles étaient son papa et sa maman. Elles l'aiment beaucoup et elles s'en occupent très bien. La preuve en est que j'ai su par M. Victor que Ludivine était l'un des meilleurs éléments de votre classe.

Elle a repris sa respiration et elle a ajouté :

— Et maintenant, je suis prête à répondre à vos questions.

On a tous levé le doigt et elle a choisi Super Maria.

— Laquelle des deux mamans fait la cuisine à la maison ? a demandé Maria en se léchant les babines.

Mme Chêne a eu l'air étonnée.

— Si tu veux, nous parlerons cuisine un autre jour. Revenons-en aux deux mamans de Ludivine.

— Deux mamans, c'est pas possible, a riposté Fatima. Pour faire un bébé, le papa est obligatoire.

— Tu as tout à fait raison, ma mignonne, a applaudi Mme Chêne. Et nous allons voir ça de plus près.

Fatima a fait sa crâneuse, comme le corbeau avec son fromage. Mme Chêne s'est levée, elle est allée au tableau où elle s'est emparée d'une craie neuve. On était tous très intéressés de voir ça de plus près alors on aurait pu entendre une mouche voler.

Sous le JOYEUX NOËL MAMAN CHÉRIE, elle a écrit GAY.

— L'un de vous connaît-il ce mot ? elle a demandé.

On a tous crié qu'on le connaissait, sauf Tiphaine qui trompettait que Mme Chêne avait fait une faute d'orthographe à « gai ». Hugo a crié encore plus fort avec ses yeux, alors on s'est calmés et Mme Chêne a désigné Baudoin qui est souvent interrogé à cause de sa cravate qui fait sérieux.

— Je t'écoute, mon mignon.

Baudoin s'est levé et il a expliqué à Mme Chêne que la Gay Pride défilait dans le quartier, des bonshommes déguisés en dames avec des visages peints et des gros nénés, des dames déguisées en bonshommes avec des biscoteaux terribles, qui s'embrassaient, dansaient et chantaient au son de leurs instruments, lançaient des ballons et tiraient la langue aux passants. Et ceux qui le voyaient pas en vrai pouvaient le regarder le soir à la télé.

Anne-Laure, qui n'avait pas encore parlé, a crié que les mamans de Ludivine ne dansaient pas sur des chars, même si elles étaient gays et gaies, et Mme Chêne a réclamé le silence.

— Revenons-en à votre amie, elle a dit. Sa situation vous pose-t-elle d'autres problèmes ?

J'ai levé le doigt. Toute la classe a crié : « Allez, France ! Allez, France ! », et j'ai été contente d'être née le 14 juillet.

— Puisque le papa et la maman sont obligatoires, comment les mamans de Ludivine ont fait pour l'avoir ?

— Voilà une question intéressante, a dit Mme Chêne, et, au tableau, sous le mot GAY, elle a fait deux dessins : un rond avec une flèche en l'air, et un rond avec une croix en bas.

— C'est ce qu'on appelle des symboles, elle a expliqué.

Après, elle a tapé avec la craie sur le rond avec la flèche en l'air.

— Celui-ci représente le papa, il donne les spermatozoïdes, en quelque sorte la graine.

Puis elle a caressé avec la craie le rond avec la croix en bas.

— Celui-là représente la maman, il donne l'ovule, en quelque sorte l'œuf. Le papa dépose la graine dans l'œuf de la maman et l'union des deux forme l'embryon, en quelque sorte le bébé en bouton.

Et, sous le mot GAY, elle a écrit EMBRYON.

Tiphaine a trompeté qu'elle n'y comprenait plus rien. La dernière fois que Mme Chêne était venue, elle avait dit que les bébés ne venaient pas dans les roses, et maintenant, elle parlait de bébés en bouton, fallait savoir.

Mme Chêne a regardé ses lunettes pliées sur le bureau, comme si elle les grondait, mais elle ne les a pas touchées.

— Rappelle-toi, Tiphaine, la dernière fois, nous ne parlions pas de Ludivine, mais d'un film que tu avais vu sur Internet, et...

Et elle n'a pas continué parce que, quand le train de Tiphaine arrive, ça fait du bruit.

Tiphaine s'est souvenue du film de Tibère, elle a compris par où le papa déposait la graine dans l'œuf de la maman et elle a crié que c'était trop dégoûtant et puisque c'était comme ça, elle se marierait jamais, ou bien avec sa tante, comme la maman de Ludivine.

Moi, j'entendais Luce quand elle parlait du symbole sexuel pour le père Garagiste qui faisait le plein d'une dame avec sa lance à incendie et ça me rassurait pas trop.

— Tiphaine, tu te tais ou tu sors, choisis, a dit Hugo.

Tiphaine a choisi de se taire et c'est encore moi que la soutien a regardée.

— Pour en revenir à ta question, ma gnomi : comment les mamans de Ludivine ont fait pour l'avoir, eh bien l'une d'elles est allée tout simplement à l'hôpital subir une insémination artificielle.

Elle a regardé la classe d'un air méchant, comme si c'était notre faute si elle avait parlé en verlan sans faire

exprès ; et, sous EMBRYON, elle a écrit : INSÉMINATION ARTIFI-
CIELLE.

— Je pense qu'il est inutile de vous demander si vous
connaissez ces mots ?

Ahmed a répondu qu'il les connaissait parce que son
papa était docteur. Seulement, son papa ne disait pas les
« graines » mais les « paillettes ». Il a expliqué qu'on
conservait les paillettes dans des bacs qui fumaient quand
on soulevait le couvercle. Après, on les introduisait dans les
mamans qui ne pouvaient pas avoir d'enfants malgré les
efforts des papas, et aussi dans les mamans qui étaient gays,
comme celles de Ludivine qui voulaient avoir un bébé sans
qu'un monsieur ait besoin d'entrer.

— Attention ! a dit Israël qui a un papa avocat. Il ne
faut pas que le monsieur sache que c'est sa paillette qui a
donné l'enfant. Parce que si un jour il vient le réclamer, tu
fais quoi, là ?

Tiphaine a demandé pourquoi on parlait de paillettes
puisque c'était même pas Noël. Mme Chêne qui était
retournée à son bureau a sorti une petite boîte de son sac,
comme celle où grand-mère range ses médicaments et,
hop ! un comprimé dans le gosier sans même une gorgée
d'eau.

Évidemment, elle a commencé à s'étouffer et elle n'a
pas pu répondre à Maria qui voulait savoir comment deux
papas faisaient pour avoir un bébé puisque les papas ne
pouvaient pas subir l'insémination artificielle.

Comme Hugo tapait dans le dos de la soutien pour
dégager le comprimé, c'est Ahmed qui a répondu à sa
place.

— Fastoche ! Un des papas donne ses paillettes à une
mère porteuse. La mère porteuse fabrique le bébé et,
après, ni vu ni connu, elle le rend aux papas contre un
chèque en promettant de ne jamais le réclamer.

— Attention ! a dit Israël, un bébé n'est pas une mar-
chandise, et je me permets de te signaler que les mères
porteuses sont interdites en France.

Là, Anne-Laure s'est mise en colère et on a tous été super heureux de la retrouver pareille qu'avant. Elle a d'abord dit « Putain », et après elle a ajouté qu'au lieu de faire toutes ces embrouilles ceux qui ne pouvaient pas avoir d'enfants normalement n'avaient qu'à aller les chercher dans le tiers-monde où il y avait plein d'orphelins à cause du sida. Même que, quand elle ferait humanitaire, elle construirait des maisons pour eux, comme mère Teresa.

Toute la classe a applaudi sauf Tiphaine qui voulait savoir si mère Teresa c'était bien la dame qui avait épousé l'abbé Pierre.

— Silence, a crié Hugo en allant ouvrir la fenêtre pour aérer la soutien qui avait fini de tousser mais avait l'air encore plus fatiguée qu'avant son comprimé. Vous allez me faire le plaisir de laisser Mme Chêne conclure.

On s'est tous tus pour lui faire le plaisir et elle a dit d'une drôle de voix qui raclait :

— Je dirai seulement que pour Ludivine il n'est pas facile d'avoir DEUX mamans et non pas comme vous UN papa et UNE maman.

Et c'est là qu'un nouveau mystère s'est éclairci, le mystère du plat qu'Ali n'avait pas pu apporter à la grande fête du goût parce que c'était pas au tour de sa maman de faire la cuisine.

Ali s'est levé et il a crié :

— Et TROIS mamans, si vous croyez que c'est facile !

16

Le mystère du touraki

Là, personne n'a ri, même pas Romain, parce que Ali ne blague jamais et en plus il avait le hoquet.

Mme Chêne, qui avait commencé à se relever après avoir conclu, est retombée sur sa chaise et elle a pris ses lunettes dans sa main.

— Trois ma... trois mama... trois mamans, elle a bégayé, que veux-tu dire par là, Ali ?

Ali a dit par là que, dans son pays, quand la première épouse commençait à s'user et n'arrêtait pas de rouspéter après son époux, son époux avait le droit d'en prendre une deuxième toute neuve, et même une troisième, et que la troisième, c'était sa maman, alors que les autres pétasses étaient jalouses et quand c'était son tour de faire la cuisine, elles renversaient la salière dans la soupe et elles crachaient dedans pour qu'elle ne soit plus la favorite. En plus, les enfants des deux premières épouses de son papa étaient méchants avec lui. La nuit, ils le viraient du matelas. Et tout ça faisait qu'il n'y avait qu'à l'école où on était tous frères pour de vrai qu'il arrivait à dormir tranquillement.

Après, il s'est tourné vers Anne-Laure qui lui faisait ses feuilles volantes pour Noël parce que sinon il y serait encore l'année prochaine, et il lui a dit qu'elle pouvait laisser tomber les poèmes vu que sa maman savait pas lire, et que ça ferait que l'enfoncer. Et à nous il a dit que quand il serait grand, il ferait instit comme Hugo, et humanitaire comme Anne-Laure.

Ensuite, il s'est rassis et il a caché sa tête dans ses bras, mais pas pour dormir vu que c'était ses épaules qui maintenant avaient le hoquet. Et même Tibère et Romain qui ne perdent pas une occasion de se moquer ont fermé leurs grandes gueules.

Grand-mère dit que le métier d'une soutien psychologique, qui s'appelle aussi « psychologue », est de découvrir ce que t'arrives pas à dire parce que c'est trop profond et que ça t'arrache les entrailles de le sortir. L'autre jour, quand Mme Chêne avait gardé Ali après la classe à cause de son cocard sur l'œil et du matelas où toute la famille dormait les uns sur les autres, elle avait découvert que dalle, alors elle a baissé la tête comme si elle était punie.

Hugo, lui, on sentait qu'il avait un cocard sur le cœur à cause de toutes les fois où il avait répété à Ali qu'il ferait mieux de dormir dans son lit plutôt que sur son siège à l'école. Il est allé frapper tout doucement sur son épaule et il a dit :

— On y va, Ali ?

Ali a ressorti la tête de ses bras, il a mis sa petite main noire dans la grande main blanche d'Hugo et quand ils ont quitté la classe, en oubliant Mme Chêne, même Anne-Laure qui pleure jamais a pleuré pour la deuxième fois dans la même journée et j'ai eu envie de faire humanitaire.

On n'a pas le droit de laisser une classe sans surveillance, surtout les CM1, alors Mme Chêne s'est relevée, elle s'est traînée jusqu'au tableau et elle a écrit avec difficulté un nouveau mot compliqué à prononcer pour les dyslexiques :

MIGALYPO

Elle nous a expliqué que ça voulait dire avoir plusieurs épouses, comme le papa d'Ali. C'était la coutume dans certains pays, mais pas en France où la loi l'interdisait.

Là, Tibère a crié que c'était dégoûtant que la loi interdise la migalypo et que plusieurs épouses, c'était le top. Tous les garçons ont applaudi et toutes les filles ont hué les garçons, et Anne-Laure a crié que si la migalypo, qui s'appelait surtout « polygamie », devenait la coutume en France, elle jetterait son époux défraîchi, par exemple Tibère qui radotait, pour en prendre un plus frais. Et là c'est les filles qui ont applaudi et les garçons qui ont hué.

Pendant ce temps, Tiphaine, qui arrive à crier plus fort que tout le monde, demandait à Mme Chêne pourquoi Hugo avait emmené Ali. Mme Chêne s'est mise à faire tourner ses lunettes par la branche à toute vitesse et ce qui devait arriver est arrivé, la branche s'est cassée, comme l'assiette de Mme Coquenpâte, et les verres aussi, comme les œufs frais, quand ils se sont écrasés sur le plancher.

Et puis la récré a sonné et, faute de chef de rang (Ludivine), on a tout laissé sur le tableau.

JOYEUX NOËL MAMAN CHÉRIE
GAY
♂ ♀

EMBRYON
INSÉMINATION ARTIFICIELLE
MIGALYPO

Le soir, en rentrant à la maison après l'école, je ne pouvais pas m'empêcher de chanter ma joie d'avoir une seule maman.

— Mais qu'est-ce qui t'arrive, mon chat ? elle a demandé en croulant sous mes bisous. Tu fais ta crise de tendresse ou quoi ?

Ça aurait été trop long à expliquer et il aurait fallu parler de la surprise pour Noël, alors je lui ai seulement dit que je l'aimais.

Je suis contente aussi de savoir qui a donné ses

paillettes à ma mère, même si, depuis sa seconde épouse, mon papa a moins de temps à me consacrer.

Quand je serai grande, j'aurai un mari pour moi toute seule et des enfants qu'on fera dans le même lit sans rien demander à personne.

17

Cruella d'enfer

C'est la dernière ligne droite avant les vacances de Noël et le cadeau pour les mamans. On a terminé les contrôles. À part Tiphaine et Ali qui ont tous les deux des excuses pour être à la traîne, Hugo a dit qu'on était plutôt bons, et même certains excellents, sauf en discipline où c'est la cata. Les CM1 sont la pire classe que Mme la directrice a jamais vue passer.

— Je préfère ça à une classe de larves, a ajouté Hugo avec un clin d'œil marrant.

Pour le livre, on a fini les feuilles volantes. Comme poètes, on a choisi Victor Hugo, Diam's, MC Solaar, Paul Verlaine et Jacques Prévert, mon préféré. J'aime surtout son poème qui s'appelle « Le cancre ».

> *Il dit non avec la tête*
> *Mais il dit oui avec le cœur...*

Ça m'arrive souvent et il plaira à maman parce qu'il n'est pas trop long. Maman lit toujours avant de s'endormir : trois lignes et hop, plus personne ! Bientôt, Jacques Prévert et moi, on sera sur sa table de nuit.

Côté dessins, les garçons ont surtout fait des monstres et des robots. Les filles et Dong, des fleurs, des oiseaux et des maisons. Comme un grand poète a dit : « Rien n'est plus fort qu'une rose », alors les garçons peuvent bien se moquer, on s'en fout.

Chacun a dû se débrouiller pour trouver sa couverture : deux morceaux de carton lisse et propre. Ça n'a pas été difficile pour Maria qui n'a eu qu'à se servir dans la cour, vu que sa maman gardienne voit passer de tout et de n'importe quoi. Dong a apporté de l'emballage de crevettes surgelées et Romain s'est bouché le nez. Le papa d'Ahmed lui a fourni du carton d'échantillons pour bistouri, ça craint ! Tibère a fait les pouvelles de la pharmacie d'à côté et il a trouvé une boîte avec les mêmes dessins que ceux de la soutien ♂ ♀, marqués « préservatifs ». Quand il a expliqué qu'il allait joindre l'utile à l'agréable, même Hugo a ri. C'est le carton que maman m'a rapporté de son grand magasin sans savoir dans quel but qui a obtenu le prix de l'élégance : un carton de parfums marqué « Mademoiselle Chanel ».

Pour qu'on ne finisse pas tous à l'infirmerie, Hugo a préféré se charger lui-même de les couper à la bonne taille. Après, on les a peints en vert, la couleur de l'espérance, et, ce matin, on en était à la finition, quand Mme la directrice est entrée.

Elle avait l'air trop joyeux, comme maman quand, sous une bonne nouvelle pour elle, elle en cache une mauvaise pour moi, et ça n'a pas loupé.

— Je viens vous annoncer une excellente nouvelle ! L'arrêt maladie de Mme Lacrué a pris fin. Son stage de Qi Gong lui a permis de se rétablir tout à fait. Nous aurons donc le bonheur de la retrouver après les vacances de Noël. – Elle a repris son souffle et elle a ajouté : – Je compte sur vous pour lui réserver le meilleur accueil.

— King Kong, je l'ai vu au cinéma, a fanfaronné Tiphaine. Il a l'air méchant mais il est très gentil.

— Il s'agit de QI GONG, Tiphaine, a rectifié Mme la directrice avec patience vu que le papa de Tiphaine est son ami, et même il est presque ministre, sans ça elle aurait redoublé.

— Et Qi Gong, c'est quoi ? a demandé Ludivine.

Mme la directrice a cherché ses mots. Dong les a trouvés avant elle. Il a dit qu'il fallait d'abord savoir que « qi », ça voulait dire « chi », et que « chi », ça voulait dire « énergie », et on a tous ri à cause de « chi ». Après, il a dit que ça permettait de retrouver ses nerfs, un peu comme le lotus, mais en prenant d'autres postures, par exemple la posture de « l'hirondelle pourpre ». Même que, si on voulait, il pouvait nous montrer.

— C'est qui, Mme Lacrué ? a demandé Anne-Laure en interrompant Dong, et Mme la directrice a eu l'air soulagée qu'il ne nous montre pas l'hirondelle pourpre.

— Eh bien, c'est tout simplement votre maîtresse de CM1 que M. Victor a accepté très obligeamment de remplacer durant ce premier trimestre, en abandonnant son poste de surveillant où nous serons tous très heureux de le revoir.

On s'est tournés vers M. Victor qui regardait par la fenêtre quelque chose de triste que nous on voyait pas, comme Paul Verlaine dans son poème « Le ciel est par-dessus le toit ». Et cette fois, c'est Fatima, ma copine, qui a levé le doigt.

— Si on a le bonheur d'accueillir Mme Lacrué, est-ce que ça veut dire que M. Victor partira ?

— As-tu jamais entendu parler d'une classe avec DEUX maîtresses ? a demandé Mme la directrice en riant.

Et après elle a froncé les sourcils, comme grand-père quand il a un doute et elle s'est dit tout bas à elle-même : « Quoique... »

— M. Victor, c'est bien Hugo ? a trompeté Tiphaine.

Et, pour une fois, elle a eu un train d'avance sur nous parce que quand Mme la directrice a répondu avec patience : « Mais oui, Tiphaine, il s'agit bien d'Hugo », on a seulement compris noir sur blanc qu'on ne l'aurait plus comme maître. Surtout qu'il continuait à regarder la chose triste par la fenêtre et que ça n'avait pas l'air de s'arranger.

— On ne veut pas de Cruella, a dit Romain entre ses

dents, mais on l'a entendu quand même et Mme la directrice a sursauté comme si, pour une fois, elle comprenait le verlan.

Lacrué, ça fait Cruella en verlan, avec juste un *l* en plus. Cruella d'Enfer est l'abominable héroïne des *101 Dalmatiens*, un film de Walt Disney. Les dalmatiens ont une fourrure toute douce à caresser. Cruella veut s'en emparer pour se faire une cape de luxe. Heureusement, Pongo et Perdita, les parents des chiots, aidés par tous les animaux, les sauvent d'être écorchés.

Les sourcils froncés, Mme la directrice est allée au tableau et, sous le JOYEUX NOËL, sans MAMAN CHÉRIE, qu'on avait effacé pour ne pas faire de peine à Ludivine qui en a deux et à Ali qui en a trois, elle a écrit en majuscules : Madame LACRUÉ. Après elle nous a tous menacés.

— Le premier que j'entendrai déformer le nom de Mme Lacrué sera renvoyé sur-le-champ et ses parents convoqués dans mon bureau.

Et dans les étincelles qui sortaient de ses yeux, on a lu qu'on n'était pas les premiers à mettre Lacrué en verlan et que ça posait un problème à Mme la directrice et même un gros.

On s'est tournés vers Hugo, mais il était toujours tourné vers la chose triste, et là il s'est passé une chose magnifique qui s'appelle peut-être de l'amour. Dong s'est levé. Il a retiré ses lunettes. Il ne s'est pas mis en lotus. Il a seulement dit d'une voix plus forte que d'habitude :

— On veut garder Hugo.

Et même si Dong est pacifiste, ça a été comme s'il déclarait la guerre à Mme la directrice. On a tous scandé : « Hugo, Hugo, Hugo », et Hugo s'est tourné vers nous et il nous a souri en mettant un doigt sur sa bouche.

Mme la directrice est devenue toute rouge. Elle a fait des moulinets avec la craie, comme si elle voulait nous barrer.

— Si vous croyez que vous allez faire la loi dans MON école ! elle a menacé. Votre classe de...

Là, elle a perdu son latin parce qu'elle ne pouvait pas dire : « Votre classe de " bandits, voyous, voleurs, chenapans ", comme Jacques Prévert dans son poème « Chasse à l'enfant », vu que justement, pour les contrôles, les CM1 faisaient honneur à son école, sauf Ali, Tiphaine et la discipline.

Son portable a bien choisi son moment pour sonner. Elle l'a sorti de sa poche en déclarant qu'on ne perdait rien pour attendre et elle a quitté la classe en emportant la craie.

Maman dit qu'il faut toujours suivre son instinct, même si son instinct l'a mal conseillée quand elle a crié à papa : « Ça sera Églantine ou moi », et que papa a choisi Églantine.

J'ai suivi mon instinct, et même pas chef de rang, je suis allée au tableau, j'ai pris la brosse et j'ai effacé « Madame LACRUÉ » avec des gouzis dans les doigts. Mais comme ce n'est pas en effaçant un mot qu'on efface le problème et que le problème était qu'Hugo ne serait plus notre maître à la rentrée, personne n'a crié : « Allez, France ! »

Hugo est revenu à son bureau et il nous a regardés chacun à notre tour comme s'il avait oublié combien on était exactement et voulait recompter. On n'osait pas lui rendre son regard parce qu'on avait un peu l'impression de le chasser.

— Eh bien, eh bien, en voilà des mines d'enterrement ! Auriez-vous oublié ce qu'a dit Mme la directrice ? Qui surveillera l'étude ? Qui s'occupera des collés ? Si vous vous imaginez que vous allez vous débarrasser de moi comme ça, c'est raté. Et maintenant, au travail, mauvaise troupe.

On s'est remis à notre livre, et, en écrivant mon nom en haut à gauche de la couverture, j'ai eu envie d'inventer un poème pour lui.

18

Le dindon de la farce

— Cette pauvre Luce, est-ce que tu me vois la laisser toute seule une veille de Noël ? a soupiré maman en levant les yeux au ciel.

Un soupir, ça dit parfois le contraire des mots et moi je voyais très bien maman laisser Luce toute seule. Et je nous voyais très bien toutes les deux réveillonner cool devant la télé à la maison, pour la bonne raison que Luce a le champagne mélancolique et le vin mauvais, et que la gérer les soirs de fête est mission impossible.

Dur d'être unique quand ton parent est isolé et n'a que toi pour le cocooner. Et maman n'a pas d'illusions à se faire, tant que Luce ne sera pas dans son urne, elle n'y coupera pas.

En plus, la veille de Noël, c'est le coup de feu rayon parfums dans son grand magasin. Le parfum, maman dit que c'est la planche de salut pour les hommes qui n'ont rien trouvé à offrir à leur femme. Pour les femmes, la planche de salut, c'est le portable qui fait aussi photo et télé. Avec les jouets, c'est les deux stands qui font le meilleur score, le 24 décembre.

Luce s'était encore mijoté un petit bouquet de RTT pour être libre pendant mes vacances, même si je préfère le centre aéré avec Super Maria et Fatima, et elle a débarqué avec plein d'heures d'avance pour préparer le réveillon avec moi. Elle a mis sa tenue de combat et on a sorti le sapin en plastique du cagibi. Il n'avait pas rajeuni depuis Noël dernier et ça m'a fait penser au vrai, avec racines, à Trébeurden, qui ne sert qu'une seule fois et qu'on replante après dans le jardin en l'applaudissant tous en rond.

Mes grands-parents devaient déjà respirer le bon air de la mer. Ce soir, toute la famille côté papa, au moins trente personnes, réveillonnerait là-bas. Ce serait Églantine et ce con de Baptiste qui en profiteraient, et même si papa m'avait promis de mettre mes souliers devant la cheminée et de demander à m'avoir à Noël prochain, dans un an jour pour jour, d'abord un an c'est long, même jour pour jour, et ensuite je savais déjà que j'aurais pas le cœur de lâcher maman, qui n'aurait pas le cœur de lâcher Luce, résultat ce n'est pas demain la veille que je fêterai Noël à Trébeurden.

Comme la cheminée n'avait pas été prévue dans notre deux pièces, on a mis le sapin sur la télé. Au programme, ce soir, il y avait : *Le Père Noël est une ordure*. On se demande où les chaînes prennent leurs idées, en tout cas pas chez les enfants. On l'a habillé avec ses boules et ses guirlandes qui n'avaient pas rajeuni elles non plus, après on a remis le lit en canapé, la table de nuit en table basse, et on a dressé le couvert de gala : la nappe en tissu, les assiettes en porcelaine, l'argenterie et les verres qui chantent. La seule chose neuve, c'était la bougie argentée que Luce nous offrait. On l'a disposée au milieu du couvert et j'ai eu hâte de l'allumer.

Pour le menu, Luce s'était chargée du dindon farci et du champagne. Seulement une demi-bouteille mais du vrai bon. Maman fournissait la garniture pour le dindon et la bûche. Il ne faudrait pas oublier de les sortir à temps du congélo sans se tromper dans l'ordre : d'abord la garniture, ensuite la bûche.

Comme tu ne sais jamais exactement ce que le boucher a fourré dans sa farce, tu as intérêt à faire cuire long-temps ta volaille pour ne pas t'empoisonner. Dès sept heures, Luce a commencé à faire dorer le dindon à la cocotte et après elle l'a mis à feu doux en attendant le retour de la travailleuse.

Ce qu'on ne pouvait pas prévoir, c'est que les pères Noël du grand magasin de maman bloqueraient les issues pour obtenir une prime de fin d'année et qu'elle aurait une heure de retard, c'est dire l'état dans lequel elle nous est revenue. Elle a même pas remarqué qu'on s'était fait belles pour l'accueillir : Luce dans sa robe de Dior récupé-rée au vide-grenier, moi dans mon T-shirt neuf marqué J'ADORE en clouté argent avec des cœurs.

Luce, qui avait arrêté le dindon, l'a remis à feu doux pendant que maman se désénervait sous la douche et on a disposé l'apéritif sur la table basse.

Quand maman nous a rejointes, elle était si jolie avec son maquillage, son haut en soie et sa jupe longue ouverte sur le côté, que j'ai regretté d'avoir cassé son coup à Jean-Philippe, parce que se mettre en frais juste pour nous deux, c'était pour rien vu qu'on connaît par cœur ce qu'il y a dessous.

— Fais comme chez toi, je m'occupe de tout, a ordonné Luce.

Maman est tombée dans le canapé et pendant que Luce remontait le feu sous le dindon, j'ai mis Charles Azna-vour – son idole – pour l'ambiance. Après, Luce a fait joyeusement sauter le bouchon de champagne et on a trin-qué, moi avec trois gouttes de nectar dans mon Coca pas *light* puisqu'on allait veiller.

On s'est régalées avec les zakouski et le tarama, mon apéritif préféré. Ça n'a pas été long pour que le cham-pagne fasse son effet mélancolie sur Luce. À la deuxième coupe, elle a poussé un gros soupir et elle a dit :

— Finalement, j'ai raté ma vie !

— Merci pour France et pour moi, a répondu maman en essayant de faire bonne figure.

Luce a enfoncé le clou.

— Si tu crois que vous me faites une belle jambe ! Je sais très bien que je suis un poids pour vous. Si j'étais pas là...

— Si t'étais pas là à pleurnicher, ton dindon ne brûlerait pas, s'est écriée maman en se précipitant à la cuisine qui envoyait de la fumée sous la porte.

Luce s'est précipitée aussi. J'ai débarrassé l'apéritif en raclant le tarama avec le doigt pour me venger et j'ai allumé la bougie qui n'était pas si belle que j'avais pensé.

Elle s'était déjà pas mal consumée quand maman et Luce sont revenues avec seulement la farce, entourée de la garniture qui, par bonheur, n'avait pas trop souffert, sur le beau plat assorti aux assiettes.

Maman a ouvert le vin sans difficulté avec le tire-bouchon neuf que Jean-Philippe lui avait donné en cadeau d'adieu et on a attaqué le réveillon.

Claude François chantait « Comme d'habitude ». Justement, on ne savait pas bien quoi se dire de différent des autres jours pour que ce soit la liesse, alors on s'est contentées de bien se tenir à table et de se faire des sourires.

Là, dès le deuxième verre, c'est le vin qui avait fait son œuvre sur Luce et elle s'est mise en pétard.

— Sans tes débiles de pères Noël, on n'en serait pas à manger de la chair à saucisse un soir de réveillon.

— Mes « débiles de pères Noël » ? Depuis combien de temps tu ne soutiens plus une grève ? a demandé maman en ne faisant plus du tout bonne figure.

— Ça n'est pas à ma fille que j'apprendrai qu'il y a grève et grève, a rétorqué Luce d'un air supérieur.

— Et à la Sécu, tu la fais souvent ? j'ai demandé pour aider maman.

Raté ! Maman m'a regardée comme Hugo quand on aurait mieux fait de tourner sept fois sa langue dans sa bouche. Luce n'a pas répondu tout de suite comme si c'était elle qui tournait sa langue. Elle a fini son verre de vin, et après elle a dit d'une voix engourdie.

— Ça m est arrivé, oui. Et si vous voulez savoir le fond de ma pensée, et même le fin fond du fond : les malades, ils peuvent bien tous crever la gueule ouverte, ça me fera moins de feuilles de Sécu à gérer.

Là, je n'ai pas pu m'empêcher de rire en imaginant le spectacle. Maman a ri aussi et Luce nous a regardées comme des sans cœur. En plus, Charles Aznavour chantait « Tu te laisses aller », la seule chanson que Luce n'apprécie pas vu que ça la concerne, alors j'ai eu hâte que le réveillon soit terminé.

19

Qui sera le vainqueur

J'ai été la seule à faire honneur à la bûche : chocolat, sucre, œufs, et nougatine, les pires ennemis de notre corps, mais mon corps j'aurais préféré le voir ailleurs, alors tant pis pour lui.

Le plus pénible avec Luce, le soir du réveillon, c'est qu'on ne peut pas la laisser rentrer toute seule dans sa banlieue qui est encore plus sensible que d'habitude vu que ça donne la haine aux jeunes de voir les autres la joie au cœur alors qu'eux, leur cœur est vide.

Après avoir aidé maman à desservir, Luce a mis son manteau et elle a ordonné :

— Tu m'appelles un taxi, s'il te plaît. J'ai assez empoisonné ta soirée comme ça.

— Comme si tu ne savais pas qu'aucun taxi n'acceptera de s'aventurer dans ta banlieue pourrie, a répliqué maman méchamment.

— Dans ce cas, j'irai en RER et en bus.

— Parce que, maintenant, ton bus marche la nuit ? Première nouvelle, ah, ah !

— Eh bien, je ferai de l'auto-stop et si vous me revoyez plus vous serez bien débarrassées.

Là, maman a carrément fumé comme le dindon.

— Ça, tu peux le dire. Regarde ce qui est marqué sur

le T-shirt de ta petite-fille ? Crois-tu vraiment qu'elle a ADORÉ son réveillon ?

Luce a plissé les yeux pour relire mon J'ADORE avec les cœurs, et quand elle s'est mise à sangloter, c'est moi qui en ai eu marre et j'ai crié :

— Putain, arrêtez toutes les deux.

Ça a été comme si elles se réveillaient en sursaut ; elles m'ont même pas grondée pour le gros mot.

Il n'y avait plus de place pour les chaussures au pied du sapin vu qu'il était sur la télé, alors on les a alignées devant *Le Père Noël est une ordure* qui était en train de finir. Maman a déplié le canapé-lit, et le temps qu'elle convertisse la table basse en table de nuit, Luce ronflait déjà sans avoir pris la peine de se déshabiller ; c'est les vapeurs de l'alcool qui te ressortent par le nez.

La pauvre maman n'avait pas l'air d'avoir trop le moral. Il faut reconnaître que terminer le réveillon dans le même lit que sa mère, même en robe de Dior, c'est pas le top. Je l'ai embrassée très fort pour la consoler en lui disant que j'avais la plus jolie maman du monde, mais j'ai bien vu que ça l'enfonçait encore plus, parce qu'être la plus jolie du monde juste pour Luce et moi, c'est pas avec ça qu'elle ira loin.

Je me suis couchée avec Gustavichou, mais j'arrivais pas à m'endormir. C'était comme si le dindon me picorait le cœur. Pour le chasser, j'ai fait le tour des copains. Fatima et Maria qui avaient une vraie fête avec leur papa et leur maman sous le même toit, même minuscule. Dong qui se faisait de la thune en aidant son père à l'Auberge des sept parfums. Romain et Tibère, les rois du surf, partis à la montagne, les autres... Je me suis consolée avec Ludivine et ses deux mamans, avec Ali et ses trois.

Je me rappelais quand Ali avait dit qu'on était tous frères pour de vrai. J'étais d'accord. Et j'aurais bien voulu qu'Hugo me tende la main à moi aussi en me disant : « On y va. » Mais il n'y avait pas de raison parce qu'avec une maman et un papa qui m'aiment, même s'ils ne s'aiment plus, j'ai pas de vrais problèmes.

Et puis j'ai pensé à Mme Lacrué qui allait le remplacer, j'ai enfin réussi à pleurer. Ça m'a aidée à m'endormir.

Quand on s'est réveillés, le ciel était tout bleu et les toits blancs, c'était l'haleine des anges. Dans mes souliers, j'ai trouvé le baladeur MP3 que j'avais demandé à maman et qu'elle avait eu avec vingt pour cent de réduction dans son grand magasin en tant que personnel. Tu peux enregistrer tes chansons préférées, mais gare à tes oreilles, si tu forces le son tu deviens sourd avant l'âge.

Luce m'avait offert une console de jeux. Là, c'est la vue que tu perds si tu passes ta journée dessus. Ajoute Internet, plus les ennemis de ton corps, plus le sida, le ciel qui respire plus, les glaciers qui fondent, sans compter la retraite que t'auras pas, bonjour l'avenir !

Maman a été supercontente de son livre. Elle l'a mis direct sur la table basse qui était redevenue table de nuit.

Pour Luce, j'avais fait une feuille volante avec un poème de Robert Desnos qui s'appelle « La rose ».

> *Rose, rose, rose blanche*
> *Rose thé*
> *J'ai cueilli la rose en branche*
> *Au soleil de l'été.*

Même si mon dessin perdait un peu ses pétales, Luce a été enchantée. Elle a dit qu'elle allait l'encadrer et je me suis promis de ne plus la gonfler avec mon papi garagiste.

Comme le mauvais moment était passé, le petit déjeuner a été plus gai que le réveillon. Pendant que maman faisait sa toilette et que Luce rangeait la cuisine ravagée par le dindon, j'ai appelé grand-père à Trébeurden. Il m'a dit : « Joyeux Noël, jeune fille », et ça m'a brûlé la gorge. Il a dit aussi : « Figure-toi que dans tes souliers, il y a plusieurs mystérieux paquets. J'ai bien envie de les ouvrir. Qu'en penses-tu ? » Là, ça m'a fait rire.

Grand-mère tenait à me parler. Elle m'a rappelé que papa avait ma garde durant la seconde partie des vacances et qu'elle comptait sur moi pour le réveillon du jour de l'An qu'on passerait tous ensemble à Paris. Quand j'ai raccroché, c'est le bonheur qui brûlait ma gorge.

J'ai préparé une surprise pour eux : un poème de Jacques Prévert. Hugo nous a dit qu'il racontait la vie.

> *Que faites-vous là, petite fille,*
> *avec ces fleurs fraîchement coupées ?*
> *Que faites-vous là, jeune fille,*
> *avec ces fleurs, ces fleurs séchées ?*
> *Que faites-vous là, jolie femme,*
> *avec ces fleurs qui se fanent ?*
> *Que faites-vous là, vieille femme*
> *avec ces fleurs qui meurent ?*

Je crois que je suis entre la petite et la jeune fille. Maman est la jolie jeune femme et Luce la vieille fanée.

La fin du poème est bizarre : *J'attends le vainqueur.*

Je me demande qui ça sera, alors ça me fait un peu peur.

20

L'hirondelle pourpre

Maman dit souvent que les gens se bouchent les yeux pour ne pas regarder la vérité en face, mais comme la vérité finit toujours par te rattraper, au lieu de la fuir, t'as intérêt à t'y préparer grave.

Sauf Tiphaine avec son train de retard, on avait tous reçu la vérité en pleine figure quand Mme la directrice était venue nous annoncer qu'à la rentrée, ça ne serait plus Hugo qui s'occuperait de nous, mais Mme Lacrué qui avait fini son arrêt maladie et son stage de Qi Gong avec la posture de l'Hirondelle Pourpre pour calmer ses nerfs.

On avait même promis à Hugo qu'on ne retournerait pas son nom, vu qu'un nom te suit toute la vie, les moqueries avec. Avec son nom qui fait Victor Hugo en verlan, il en sait quelque chose et Mme Lacrué, qui fait Cruella à l'envers, c'est pas mieux.

Mais, avec les vacances, et en plus la neige qui fêtait la rentrée en tombant à flocons déployés, c'était comme si la vérité s'était planquée sous la couette.

Pour éviter les mauvaises glissades, on n'avait pas le droit d'aller dans la cour, alors on était tous entassés dans le hall et, en attendant la sonnerie, on se racontait nos vacances extra et nos cadeaux.

C'est dans les familles où les deux parents habitaient

sous le même toit que ça avait été le plus joyeux, surtout si tu comptes les frères et les sœurs, par exemple chez Fatima, même si le toit est minuscule. Elle m'a fait admirer son bracelet en argent avec un poinçon et son nom marqué dessus.

Chez les monoparentaux comme moi, ça avait été moins gai et on avait eu moins de cadeaux surtout quand le parent absent se terrait pour ne pas payer la pension. Les plus gâtés étaient les enfants des familles recomposées avec des grands-mères, des grands-pères et des sapins de tous les côtés.

Romain nous a fait rire en se vantant d'avoir eu cent mille sapins de Noël à la montagne où il avait été faire du ski. Dong, lui, s'était fait de la thune en aidant son père à l'auberge des Sept-Parfums et il avait reçu un iPod qui pouvait enregistrer TROIS MILLE chansons, le mien, seulement cent.

La seule qui n'était pas dans son assiette, c'était Super Maria vu que depuis le réveillon du jour de l'An où elle avait mangé des crêpes de morue, de la dinde et du gâteau à la noix de coco, elle avait commencé sa courbe et qu'elle n'était pas sûre de tenir le coup jusqu'à midi.

Et puis ça a sonné, les classes ont suivi leurs maîtresses dans l'escalier, sauf les maternelles qui sont au rez-de-chaussée et font encore dans des pots, nous, on attendait Hugo avec impatience mais c'est Mme la directrice qui s'est avancée avec une autre dame très vieille et à talons pointus, qui nous souriait mais pas vraiment, pas avec les yeux.

— Mes enfants, je vous présente Mme Lacrué, a dit Mme la directrice en appuyant sur Lacrué. Je lui ai longuement parlé de votre classe et nous sommes toutes les deux certaines que ce deuxième trimestre sera une réussite. – Elle a repris son souffle et ajouté : – À présent, je vous laisse faire plus ample connaissance, puis elle s'est enfuie et la vérité nous a rattrapés.

— Eh bien, allons-y, a dit Mme Lacrué en posant sa botte sur la première marche de l'escalier.

— On peut pas y aller, a dit Tiphaine. On doit attendre Hugo. On n'a pas le droit de monter sans lui.

Mme Lacrué a redescendu sa botte et elle a regardé la trouble-fête.

— Comment t'appelles-tu ?

— Tiphaine, a répondu Tiphaine.

Dans les yeux qui soupiraient de Mme Lacrué, on a lu qu'elle savait pour le train de retard, et peut-être aussi pour le papa de Tiphaine qui est l'ami de Mme la directrice, et en plus presque ministre, c'est pour ça qu'elle n'a pas redoublé.

— Désormais, Tiphaine, c'est MOI qui serai ta maîtresse, a insisté Mme Lacrué avec calme. Aussi vas-tu me suivre bien gentiment et tu me montreras où est ta classe, d'accord ?

— Pas d'accord, a riposté Tiphaine. Nous, on a un maître et il sait où est la classe.

On a tous, tout le temps, envie d'étrangler Tiphaine ou de lui arracher la langue pour qu'elle se taise. Là, on aurait bien voulu qu'elle continue, mais Mme Lacrué lui a cloué le bec.

— Exécution.

Tiphaine, qui n'a pas l'habitude qu'on lui parle sévèrement, en est restée comme deux ronds de flan et Mme Lacrué en a profité pour attraper sa main et l'entraîner de force. Nous, on a suivi en silence, écrasés par la vérité, sauf Dong qui faisait semblant de s'envoler en roulant ses épaules comme l'hirondelle pourpre pour nous montrer la posture.

Au tableau, il y avait marqué : BONNE ANNÉE, en lettres de couleur et, dessous, BIENVENUE MADAME LACRUÉ. On l'a tous lu à l'envers, mais seulement dans notre tête vu qu'on avait promis à Hugo de ne pas renverser le nom.

Cruella a pris place à son bureau. Elle a posé près de sa botte pointue un gros sac comme celui où les bandits du dessin animé enferment les bébés dalmatiens et, quand elle s'est penchée pour regarder dedans, on a vu que ses cheveux étaient tout gris, pas blancs et noirs comme ceux de l'héroïne du film.

Elle a relevé les yeux et elle a découvert Tiphaine debout sous son nez.

— Qu'attends-tu pour t'asseoir, petite ? elle a demandé tout étonné.

— J'attends Hugo. J'ai un cadeau pour lui, a expliqué Tiphaine.

— Eh bien, tu lui donneras ton cadeau à la récréation. Pour l'instant, tu vas à ta place, S'IL TE PLAÎT.

La place de Tiphaine est au premier rang, à côté d'une élève sans histoire, c'est pour ça que j'en parle pas. Tiphaine a un peu hésité. On a espéré qu'elle n'irait jamais, mais elle y est allée quand même et Mme Lacrué en a profité pour désigner Baudoin sans savoir que c'était à cause de sa cravate qui fait sérieux.

— Toi, comment t'appelles-tu ?

— Baudoin, a répondu Baudoin en remettant le nœud au milieu de son cou.

— Eh bien, Baudoin, tu vas ramasser les bulletins trimestriels qui ont tous été, je l'espère, signés par vos parents, et tu me les apporteras.

Baudoin est passé dans nos rangs en faisant des grimaces terribles et remuant les épaules comme Dong pour l'hirondelle pourpre, mais personne n'avait le cœur à rire, et moi je l'avais plutôt à pleurer en lui donnant mon bulletin où Hugo avait écrit : « Élève très douée en français, mais gare à l'orthographe » et, comme par hasard, à Trébeurden, j'avais reçu dans mes souliers un dictionnaire pour enfants de mon âge et je l'avais emporté pour le lui montrer, mais c'était raté.

Baudoin a posé la pile sur le bureau de Mme Lacrué et il est retourné à sa place, près de Dong, et ils ont tous les deux remué les épaules ensemble.

Mme Lacrué a compté la récolte, après elle a comparé avec la feuille qu'elle avait sortie de son sac et elle a dit d'une voix sévère :

— Il me manque DEUX bulletins. Si je ne me trompe pas, ceux d'Ali et de Tiphaine.

Tiphaine s'est levée avec un train d'avance sur Ali qui s'était endormi.

— Mon papa a mis mon bulletin dans mon cartable hier, elle a trompeté. Moi, je l'ai enlevé ce matin pour pas abîmer mon cadeau pour Hugo. C'est un collage.

Elle a sorti fièrement le collage de son cartable et elle nous l'a montré. On s'est tous levés pour l'admirer à sa juste valeur sauf Maria qui était affaiblie par sa courbe.

C'était une grande feuille jaune avec dessus une maison et un bonhomme. Pour le bonhomme, on n'était pas tout à fait sûrs vu que sa tête se décollait.

— C'est Hugo, elle a dit.

— Tout le monde assis, a ordonné Mme Lacrué. Tiphaine, tu remets tout de suite ton collage dans ton cartable et TU TE TAIS.

Tiphaine a regardé les yeux en colère de Mme Lacrué. Elle a grogné : « Ça se paiera », comme son papa presque ministre qui le dit tout le temps à son travail et elle s'est assise.

— Ali ! a appelé Mme Lacrué.

Ali s'est réveillé en sursaut. Il s'est levé, il a bâillé sans mettre sa main devant sa bouche et on a vu sa langue spécialement rose.

— Où est ton bulletin ? Je t'écoute.

Ali a dit que ses frères, qui étaient jaloux de ses bons résultats, lui avaient taxé son bulletin et qu'il pourrait bien avoir terminé sa carrière dans le vide-ordures de sa barre.

— Et ta carrière à toi, tu y as pensé ? a demandé Mme Lacrué méchamment. Tu veux peut-être qu'elle se termine elle aussi dans le vide-ordures ? J'exige ton bulletin sur mon bureau demain matin sans faute.

Ali s'est mis à pleurer parce que les ordures étaient déjà parties à la décharge, même que c'était son papa qui conduisait la benne. Anne-Laure qui défend toujours le faible et veut faire humanitaire a levé la main et elle a dit très poliment :

— C'est pas de la faute d'Ali, madame.

— Je ne crois pas t'avoir interrogée, a riposté Mme Lacrué. Comment t'appelles-tu ?

— Anne-Laure, a répondu Anne-Laure.

— Eh bien, Anne-Laure, quelle bonne excuse as-tu trouvée à Ali ?

— Ses trois mamans dans sa barre, a expliqué Anne-Laure toujours très poliment.

— Taratata, a dit Mme Lacrué en pinçant ses lèvres rouges mais pas autant que celles de Cruella dans *Les 101 Dalmatiens.* Figure-toi que je suis au courant de la situation familiale d'Ali, et elle ne le dispense pas de faire un effort.

— Les efforts, c'est pas facile quand on a trois mamans qui se disputent, a continué Anne-Laure du tac au tac. Même Ludivine qui en a seulement deux, et en plus deux qui se disputent pas, en sait quelque chose.

Elle avait parlé la tête haute, d'une voix sans peur et sans reproche, comme le chevalier qu'on a appris avec Canal +, et, d'un seul coup, on a tous été Bayard avec son épée, on a relevé la tête et on a fait la ola à Anne-Laure, et aussi à Ali qui compte sur le foot pour s'en sortir par le haut.

C'est là que Mme Lacrué a bien failli perdre ses nerfs. Elle a crié : « ÇA SUFFIT », et on est tous retombés sur nos sièges avec un coup de boule dans la poitrine parce que voilà qu'elle regardait le ciel en faisant rouler ses épaules tout doucement comme Dong et qu'elle s'envolait sous nos yeux avec l'hirondelle pourpre.

21

Taratata

Grand-père, qui aurait adoré être marin, mais ses parents n'ont pas voulu, parle souvent du calme avant la tempête. Soudain, la nature retient son souffle, tout se tait, on dirait que la terre s'arrête de tourner.

Les premiers signes annonciateurs, un mot difficile à prononcer pour les dyslexiques, nous sont envoyés par les animaux : les rats quittent le navire, les éléphants montent lourdement sur la colline, les oiseaux interrompent leur chant.

Dans la classe, on retenait tous notre souffle, sauf Romain qui téléphonait à sa maman en se cachant sous son bureau, et dehors, même le ciel retenait ses flocons.

Et puis Mme Lacrué a replié tout doucement ses ailes, elle s'est reposée sur sa chaise en poussant un profond soupir, elle a soulevé ses paupières et elle a dit très calmement :

— À présent, je vais procéder à l'appel. Vous voudrez bien vous lever à l'énoncé de votre nom.

Elle a sorti une deuxième feuille de son sac à dalmatiens et elle a procédé par ordre alphabétique en photographiant chacun de son œil perçant. En se levant à l'énoncé de notre nom, on se sentait à la fois trop grands et trop petits et on a envié Tiphaine, Anne-Laure et Ali qu'elle a passés vu qu'elle les avait déjà rentrés dans sa mémoire.

— Nous allons maintenant effectuer quelques changements de places, elle a continué.

Elle a commencé à séparer tous les voisins qui avaient pris l'habitude d'être ensemble et le premier coup de tonnerre annonciateur de tempête a éclaté quand elle a ordonné à Romain de changer avec Baudoin.

Romain est à côté de Tibère et ils sont copains même s'ils se disputent tout le temps, ce qui entretient l'amitié. En plus, ils ont fait l'échange du sang.

— C'est pas possible, a dit Romain en se levant très poliment. D'abord, on est deux empereurs et si on nous sépare c'est la chute de l'empire et la victoire d'Astérix.

— Taratata, a répondu Mme Lacrué, tu te crois où ? Dans une bande dessinée ?

Là, c'est Baudoin, le voisin de Dong, qui s'est levé.

— Si vous me changez avec Romain, Romain sera à côté de Dong qu'il appelle « Banane flambée » parce qu'il est raciste.

— Et même « rat », a ajouté Romain.

— Taratata, a répété Mme Lacrué. J'ATTENDS.

Dong s'est mis en lotus sur sa chaise et Baudoin est monté sur la sienne.

— Je demande un vote à main levée, il a dit.

— Descends de là immédiatement, a presque crié Mme Lacrué. Tu te crois où ? Dans un cirque ?

— Hugo est toujours d'accord pour qu'on vote, a répondu Baudoin en sautant poliment de son siège et en remettant sa cravate droite.

— Taratata, a encore répété Mme Lacrué, parce que jamais deux sans trois. D'abord, on dit MONSIEUR Hugo, et ensuite il faudra bien que vous compreniez que lui c'est lui et moi c'est moi. EXÉCUTION.

Romain a tapé sa paume dans celle de Tibère et il est allé s'asseoir, l'œil menaçant, à côté de Dong qui a juré entre ses dents que Mme Lacrué ne serait pas la bienvenue à l'Auberge des sept parfums.

Avant de s'asseoir près de Tibère, Baudoin a tapé aussi dans sa paume, vu qu'ils sont copains, même s'ils ont pas fait l'échange du sang.

Mme Lacrué a repris sa feuille.

— À présent, Anne-Laure, tu vas changer de place avec Israël, elle a ordonné, et le second coup de tonnerre annonciateur de tempête a éclaté encore plus fort.

Anne-Laure et Ludivine sont comme les perruches africaines qu'on appelle des « inséparables » parce que, si tu les sépares, elles meurent. Même en dehors de l'école, elles se voient tout le temps vu qu'elles habitent dans la même rue.

Anne-Laure s'est levée.

— C'est pas possible, madame, elle a expliqué ultra-poliment. Ludivine a besoin de moi pour le moral et, en plus, M. Victor m'a confié Ali qui est dans ma rangée pour le travail. Si je change avec Israël, je ne pourrai plus m'en occuper.

— J'ATTENDS, a dit Mme Lacrué sans répéter « tara-tata », parce que trois sans quatre.

Israël s'est levé à son tour. Israël est le voisin d'Ahmed et même s'ils ont pas fait l'échange du sang et qu'ils n'habitent pas la même rue, ils sont inséparables et n'arrêtent pas de communiquer en s'envoyant des SMS qui ruinent leurs parents.

— C'est pas possible, il a expliqué à Mme Lacrué. Mon papa qui est avocat dit que les guerres commencent toujours par des changements de territoires, alors si vous me séparez d'Ahmed qui est mon copain, c'est sûr, ça va barder.

— Là où ça va barder, c'est si tu ne m'obéis pas, a tonné Mme Lacrué. J'ai dit : EXÉCUTION.

Et c'est à ce moment-là qu'Anne-Laure a déchaîné la tempête et ce qui est super, c'est qu'au lieu d'être balayés on a tous mieux respiré.

— Putain, y fa chier celle-là, elle a lancé à Cruella.

— Quoi ? Comment ? Qu'ai-je entendu ? s'est étouffée Mme Lacrué.

Anne-Laure a répété volontiers et Mme Lacrué s'est levée.

— Dehors, mademoiselle. Vous ne reviendrez que lorsque je le dirai. Et avec des excuses s'il vous plaît.

Le chevalier Bayard s'est levé sans peur et sans reproche et il s'est dirigé vers la porte. Ludivine, Israël et Ahmed lui ont emboîté la botte. Cruella a crié quelque chose que personne n'a entendu vu que la récré choisissait bien son moment pour sonner et on a tous suivi, l'épée brandie, sans lui demander son avis.

22

Exécution

Le gardien, qu'on appelle Doberman, avait repoussé la neige sur les bords de la cour pour qu'on puisse prendre l'air en sécurité, sauf les maternelles qui tiennent pas sur leurs pattes et qui écrasaient leurs nez aux carreaux pour nous voir, en pleurant comme Verlaine dans le poème : *Le ciel est par-dessus le toit*, sauf que le ciel n'était pas « si bleu, si calme », mais plutôt gris et en pétard.

Toutes les maîtresses s'étaient rassemblées autour de Mme Lacrué qui parlait en faisant des moulinets avec ses ailes. Nous, on s'est rassemblés autour d'Anne-Laure qui jurait qu'elle demanderait jamais pardon, jamais, pour avoir défendu le faible, elle préférait mourir ! Ludivine pleurait parce qu'elle voulait pas qu'Anne-Laure meure, Ali pleurait à cause de son bulletin à la décharge. Et Tiphaine, qui avait descendu son collage pour l'offrir à Hugo, le cherchait partout en répétant à tue-tête la phrase qu'elle avait préparée : « Bonne année, bonne santé, Hugo. »

— Si tu chantais plutôt une chanson, peut-être que ça le ferait venir ? a proposé Romain qui avait fini de téléphoner à sa maman.

Tiphaine adore chanter, alors elle s'est arrêtée, toute contente.

— « Jingle Bells » ? elle a demandé en regardant la neige et Noël.

— Plutôt une de Walt Disney, a conseillé Tibère, et on a tous pensé à la même.

Tiphaine connait par cœur toutes les chansons de Walt Disney vu qu'elle a les cassettes chez elle. Baudoin, qui a une cravate qui trompe parfois son monde, a commencé à fredonner celle qu'on pensait en remplaçant le nom qu'on n'avait pas le droit de prononcer par Taratata qui allait à peu près, et Tiphaine a pris le train en marche et la voilà repartie, brandissant son collage et chantant à pleins poumons.

Nous, on a suivi en aboyant un peu comme Pongo, Perdita et Lucky pour faire l'orchestre, les autres classes ont trouvé ça supermarrant, alors elles ont suivi aussi, mais elles, en chantant « Cruella » parce qu'elles avaient rien promis, et c'est comme ça que, malgré l'hirondelle pourpre, Mme Lacrué a complètement perdu ses nerfs.

Elle a fondu sur Tiphaine qui menait le cortège et elle a hurlé.

— TU TE TAIS IMMÉDIATEMENT.

On s'est tous tus, sauf Tiphaine qui a un problème avec « immédiatement », et qui a continué à chanter à gorge déployée. Alors, Mme Lacrué l'a attrapée par le bras et elle a commencé à la secouer comme un prunier pour qu'elle comprenne. Malheureusement, c'était le bras qui brandissait le collage, le collage a échappé à Tiphaine, il est tombé par terre, du mauvais côté forcément, comme les tartines beurrées, alors elle a arrêté de chanter et elle a crié : « Ça se paiera. »

— Et qu'est-ce qui se paiera, s'il te plaît ? s'est fâchée encore plus rouge Mme Lacrué qui ne savait pas que le papa presque ministre de Tiphaine le disait tout le temps.

Les maîtresses lui ont répondu à l'oreille, elle a compris son erreur, elle a lâché d'un coup le bras de Tiphaine et comme Tiphaine n'a pas d'équilibre, plaf ! elle s'est écrasée sur le sol de la cour.

Tout le monde a retenu son souffle vu qu'elle ne bougeait plus du tout, ce qui n'est pas son genre, alors Mme Lacrué lui a tendu la main et elle a ordonné d'une voix plus petite.

— Allez, Tiphaine, assez de comédie. Tu te relèves tout de suite.

— Tiphaine ne joue JAMAIS la comédie, madame. Elle est trop pure pour ça, a tonné Hugo.

C'était trop top de le retrouver. Là, toute la cour a frissonné de bonheur et, quand il a mis un genou en terre, comme Bayard, près de Tiphaine toujours sans vie, j'ai eu envie de pleurer comme dans le film.

Même si Hugo a son brevet de secouriste et qu'il nous a promis de nous apprendre à faire du bouche à bouche aux presque morts, là, il lui a seulement demandé tout doucement :

— Hou, hou ! Tiphaine. Ça va, ma chérie ?

Tiphaine a ouvert l'œil. Elle a reconnu qui était à son chevet, elle a voulu ramasser son collage pour le lui offrir, mais Hugo avait les pieds dessus alors elle s'est mise à pleurer.

— Tu as mal quelque part ? a demandé Hugo qui ne savait pas qu'il piétinait son cadeau de nouvel an.

Tiphaine a répondu « oui » d'une toute petite voix. Hugo l'a aidée à s'asseoir par terre en l'appuyant contre sa poitrine, elle a dit « ouille » en montrant son front, il a écarté ses cheveux tout collés et on a tous admiré sur sa tempe un gros œuf de pigeon qui saignait.

— Oh ! mon Dieu ! mon Dieu ! s'est écriée Mme Lacrué.

— Attention, il ne faut pas la bouger avant l'arrivée des secours, a crié Ahmed qui a un papa docteur.

— C'est un châtiment corporel, a renchéri Israël, dont le papa est avocat.

— Que se passe-t-il ici ? s'est époumonée Mme la directrice en accourant à toutes jambes.

Elle a vu Tiphaine par terre avec son œuf de pigeon

qui devenait un œuf de poule et elle a juste soufflé :
« Ciel ! » Après, elle s'est tournée vers Mme Lacrué qui
continuait de gémir.

— Comment est-ce arrivé ? elle a demandé sévèrement.

— C'est... c'est la neige, a menti Mme Lacrué. La
petite a dérapé.

— Pas toute seule, a rectifié Israël. Mme Lacrué a
secoué Tiphaine très fort, après elle l'a lâchée d'un coup et
c'est comme ça qu'elle est tombée.

— Et j'en connais un qui va pas être content du déra-
page, a ajouté Romain en pensant au même que tout le
monde.

— Toi, on t'a rien demandé, MERDE ! a juré Mme la
directrice.

Toute la cour a exorbité les yeux parce que c'était la
première fois qu'on entendait Mme la directrice dire un
gros mot. Elle s'est même pas excusée, elle a regardé
Mme Lacrué qui continuait à avouer en gémissant : « Oh !
mon Dieu ! », pendant que Tiphaine répétait : « Ça se
paiera » en regardant son cadeau dans la gadoue, et elle a
poussé un soupir à fendre l'âme.

— Monsieur Victor, pouvez-vous conduire Tiphaine à
l'infirmerie et l'étendre un moment ?

L'infirmerie, c'est le placard de la salle d'accueil où on
range les médicaments pour quand on s'est écorché le
genou ou qu'on a mal au ventre, comme après la grande
fête du goût où la moitié de la classe avait été empoisonnée
par les coquilles saint-jacques.

— Si je peux me permettre, madame la directrice, ne
pensez-vous pas qu'il serait plus prudent de faire faire des
radios au cas où ? a conseillé Hugo avec respect.

Mme la directrice a regardé l'œuf de poule qui devenait un œuf de cane et on a tous vu qu'elle luttait contre
un autre gros mot vu qu'elle serrait très fort les lèvres pour
qu'il lui échappe pas.

Elle les a desserrées et elle a répondu à contrecœur :

— Occupez-vous de la petite. Je fais le nécessaire.

Après, elle a retourné sa colère contre nous.

— Qu'est-ce que vous attendez pour regagner vos classes ? Vous n'avez pas entendu la sonnerie ?

On l'avait pas entendue pour la bonne raison que Doberman se régalait aux premières loges de l'accident avec son balai pour la neige. Il a vite couru sonner et comme Mme la directrice avait besoin de Mme Lacrué, elle nous a confiés à M. Troley-avec-un-seul-l, le prof de gym qu'on n'a pas le droit d'appeler « Trolleybus » : il n'y a pas que les familles qui sont compliquées, parfois il y a aussi les noms.

On venait de regagner notre classe quand on a entendu la sirène.

— C'est les pompiers, a dit Troleybus.

— C'est le SAMU, a parié Ahmed.

On s'est précipités aux fenêtres pour savoir qui avait gagné, mais comme le CM1 donne sur la cour, on a seulement vu Mme la directrice qui parlait avec un bonhomme en uniforme en montrant l'endroit où Tiphaine était tombée, pendant que Mme Lacrué cachait ses yeux avec ses mains.

— C'est la police, a dit Israël. Et nous, les gars, on est bons pour l'enquête.

23

Châtiment corporel

Ce qui est bien avec grand-mère, c'est qu'après l'école je suis toujours sûre de la trouver chez elle. Et comme j'ai pas le droit d'appeler maman à son travail, ni Luce à la Sécu, sauf si c'est une question de vie ou de mort, je ne dois pas hésiter à lui téléphoner si j'ai un souci, même un petit de rien du tout, et, s'il s'agit d'un secret, il sera bien gardé.

Sitôt rentrée à la maison, j'ai fait le numéro sans prendre le temps de retirer mon manteau parce que le souci était urgentissime. Grand-mère a décroché presque tout de suite et quand elle a dit : « Allô », de sa voix usée par le temps, j'ai senti l'odeur de la poudre sur ses joues comme si je l'embrassais.

— C'est toi, trésor ? Attends une minute, je baisse sous la cocotte.

J'ai bien aimé attendre la minute en me demandant ce qu'il y avait de bon dans la cocotte et elle est revenue.

— Alors ? Quoi de neuf ?

— Quand papa était petit, est-ce que tu utilisais les châtiments corporels ? j'ai demandé de but en blanc.

— Et comment ! a répondu grand-mère en riant. J'ai encore les mains qui chauffent de certaines fessées.

— Et à l'école de papa, quand il avait neuf ans, par exemple, sa maîtresse les utilisait ?

— D'abord, l'école de ton papa n'était pas mixte, il n'y avait que des garçons, et des maîtres, pas de maîtresses. Pour les châtiments corporels, c'était déjà terminé. En revanche, ton grand-père parle encore des coups de règle qu'il recevait sur les doigts. Les coups de règle et le bonnet d'âne, il adore en parler. Tu vois, les bons souvenirs ne sont pas toujours ceux que l'on croit.

Grand-mère a ri encore un peu pour elle.

— Mais pourquoi tu me demandes ça, trésor ? Il est arrivé quelque chose ?

— Quelque chose de grave : Mme Lacrué a donné un châtiment corporel à Tiphaine.

— Attends... Tiphaine, c'est bien la petite qui met du temps à réagir ? m'a interrompue grand-mère qui connaît toutes mes copines par cœur à force que je lui en rebatte les oreilles.

— Sans oublier qu'elle n'a pas d'équilibre ! je lui ai rappelé. Et comme avec la neige la cour était glissante, elle est tombée, plaf !

— Plaf ? Et comment ça s'est terminé ? a demandé grand-mère, super inquiète.

— À l'hôpital : mais ses jours ne sont pas en danger.

— Ouf ! Tu me soulages. Mais, dis-moi, qui est cette Mme Lacurée ?

Malgré mon souci urgentissime, je n'ai pas pu m'empêcher de rire.

— Pas LACURÉE, LACRUÉ... c'est notre maîtresse qui a fini son arrêt maladie ce matin.

— Eh bien, on ne peut pas dire que sa rentrée soit une réussite, a remarqué grand-mère qui a de l'humour, mais moins que grand-père qui, lui, en est pétri.

— Surtout que le papa de Tiphaine, qui est presque ministre, est venu demander des comptes à Mme la directrice, ça fait que la police va interroger Mme Lacrué sur l'œuf de cane, même qu'Ali n'est plus sûr de vouloir faire instit, quand il sera grand.

— Attends, attends..., m'a arrêtée grand-mère qui perdait un peu le fil. Pourquoi Ali ne veut plus faire instit ?

— À cause des risques. Un châtiment corporel ? Prison. Trop de caresses ? Prison. Même qu'Hugo aurait intérêt à se méfier.

Là, grand-mère a gardé le silence. Ça m'a rappelé mon souci urgentissime : la police pourrait bien interroger les CM1, en plus de Mme Lacrué, pour comprendre comment Tiphaine avait récolté son œuf de cane.

Mais pile au moment où j'allais passer à la confidence, grand-mère a demandé d'une voix spécialement douce.

— Si j'ai bien compris, trésor, Hugo se montrerait parfois... trop caressant ? Tu sais que tu peux tout me dire.

Je l'ai arrêtée tout de suite : c'était pas sexuel comme dans le film de Tibère. Mais avant que j'aie pu continuer, la clé a tourné dans la porte, ça pouvait être que ma mère, alors « bisous, on se rappelle », et j'ai raccroché en laissant grand-mère sur sa faim.

Maman était toute joyeuse vu que mes vacances étaient finies et qu'elle préfère me savoir à l'école où elle s'imagine que je suis en sécurité.

— Une surprise pour toi, mon chat, elle a annoncé avec entrain.

C'était un échantillon de parfum en robe de bal qui s'appelait « Rentrée » et sentait la danse.

— Et comment cette rentrée s'est-elle passée pour ma fille préférée ? elle a demandé en envoyant son manteau valser sur le canapé.

J'y suis allée de but en blanc comme avec grand-mère.

— Quand tu avais mon âge, est-ce que Luce te donnait des châtiments corporels ?

— Tu veux dire : est-ce qu'elle me battait ? a demandé maman tout étonnée. Jamais de la vie. Elle se contentait de me faire les gros yeux en disant : « Il y a des fessées qui se perdent. »

Elle a filé aux toilettes. Je suis restée à la porte, même si elle aime pas qu'on écoute et j'ai attendu qu'elle rince.

— Et papi Fernando, il te battait pas non plus ?

— Je crois t'avoir dit mille fois qu'on ne s'était presque pas connus, elle a répondu en ressortant. – Et elle a ajouté tristement : – Les châtiments corporels, c'était plutôt Luce qui les lui donnait avec le manche à balai quand il rentrait tard de ses soirées foot entre copains.

Je l'ai suivie dans la cuisine où elle a ouvert le congélateur.

— Croque-monsieur-salade, ça conviendrait à mon écolière favorite ?

J'ai répondu « oui » distraitement et elle a mis la barquette au micro-ondes sans attendre, vu qu'il était sept heures passées et qu'à midi elle se contente d'un œuf dur et d'une pomme sur le pouce.

— Mais pourquoi tu me demandes ça, mon chat ?

— Parce que Mme Lacrué, notre maîtresse, est revenue aujourd'hui.

— Enfin ! a applaudi maman toute contente. Un trimestre d'arrêt maladie, tu reconnaîtras que c'est un peu fort de café.

— Ça dépend si tu comptes son stage de Qi Gong.

— Son stage de ping-pong ? s'est étonnée maman.

J'ai ri malgré mon souci urgentissime.

— Pas ping-pong, Qi Gong, pour apprendre à contrôler ses nerfs en faisant l'hirondelle pourpre.

Là, maman m'a regardée d'un drôle d'œil et elle a posé sa main sur mon front.

— Dis donc, tu ne me ferais pas un peu de fièvre, toi ? Et d'abord, pourquoi as-tu gardé ton anorak ? Tu as froid ?

C'est vrai qu'avec tout ça, j'avais encore mon anorak sur le dos. Je l'ai envoyé valser sur le canapé, à côté du manteau de maman, et après je l'ai rassurée pour la fièvre. Si elle ne me croyait pas, elle n'avait qu'à appeler Dong qui lui expliquerait la posture de l'hirondelle pourpre.

— D'accord, d'accord, a dit maman, et elle est passée dans la salle de bains où elle s'est mise à l'aise, avec sa robe de chambre et ses mules.

J'en ai profité pour installer « Rentrée » avec mes autres échantillons – quarante-quatre – et après je suis revenue à mon souci.

— L'ennui, c'est que l'hirondelle pourpre s'est terminée à l'hôpital.

— Ah non ! Ne me dis pas que ta maîtresse est retombée malade dès la première journée, s'est écriée maman.

— Pas elle, Tiphaine. Mme Lacrué l'a envoyée aux urgences en perdant ses nerfs.

Là, maman a eu un petit coup de pompe, même si après les fêtes de fin d'année, c'est la période creuse rayon parfums, et qu'il faut attendre la Saint-Valentin pour que les affaires reprennent. Elle est tombée sur le rebord de la baignoire et elle s'est massé les tempes, là où Tiphaine s'était ramassé son œuf de cane.

Je profitais de la pause pour lui raconter les *101 Dalmatiens*, quand voilà qu'une odeur pas catholique nous est arrivée de la cuisine. Maman m'a échappé et elle a sauvé les croque-monsieur de justesse.

— Écoute, mon chat, elle a supplié. Maintenant, tu me lâches. Ta Cruella, je la connais par cœur. Elle peut bien attendre, non ?

Il y a l'heure où l'enfant est prêt à parler. Si tu la saisis pas au bond, c'est trop tard. Et voilà comment je suis restée avec mon souci urgentissime dans la poitrine.

Maman a cassé un œuf sur le brûlé pour faire des croque-madame qui sont encore meilleurs. On est passées à table sur le canapé-lit devant un polar qui m'a pas vraiment remonté le moral. La seule chose qui me rassurait un peu, c'est qu'Israël avait promis, si on allait en prison, que son papa avocat clamerait notre innocence.

24

Mettre son cœur au net

Il n'y avait pas de car de police devant l'école, pas de dessin à la craie dans la cour autour du corps de la victime, pas de Mme Lacrué dans le hall avec les autres maîtresses et pas de Tiphaine vu qu'elle était en observation à l'hôpital.

On attendait tous Israël avec impatience, et Romain commençait à dire qu'il se planquait dans sa cave pour pas aller en prison, quand il est arrivé en courant avec Ahmed, pile au moment où ça sonnait, et là, on n'a plus pensé qu'à notre bonheur parce que, qui venait chercher les CM1 ? Qui nous faisait les gros yeux ? Qui tempêtait : « En route, mauvaise troupe ! » Hugo.

On est montés en silence deux par deux sans oser en croire notre cœur, même Romain qui en manque, et on a gagné notre classe. Hugo a montré le tableau où c'était toujours marqué : « BONNE ANNÉE », et dessous : « BIENVENUE MADAME LACRUÉ », et il a demandé d'une voix terrible :

— Alors ? Vous êtes contents de vous ?

Personne n'a répondu, mais, pour montrer notre bonne volonté, on est allés aux nouvelles places que Mme Lacrué nous avait données. Et là, c'est Hugo qui n'en a pas cru ses yeux.

— Je suppose que c'est une plaisanterie de plus ?

Baudoin, qui s'était assis à côté de Tibère et qui avait mis une cravate noire, a levé le doigt tristement.

— C'est pas une plaisanterie, monsieur Hugo, c'est Mme Lacrué qui a séparé tous les copains.

— Et depuis quand m'appelles-tu monsieur Hugo, Baudoin ? Pourquoi pas monsieur Victor Hugo pendant que tu y es ? a rouspété Hugo qui n'a toujours pas digéré son nom que tout le monde retournait déjà quand il était petit, même que ça continue à l'époque actuelle quand il va à la mairie demander des papiers, et on peut pas dire que ses parents lui ont fait un cadeau en l'appelant comme le poète, en verlan.

— C'est Mme Lacrué qui veut qu'on vous appelle monsieur, a répondu Tibère, vu que vous c'est vous et elle c'est elle.

Fatima, ma meilleure copine, a levé le doigt.

— Est-ce qu'elle est en prison ? elle a demandé.

— Mais pourquoi veux-tu que Mme Lacrué soit en prison ? s'est écrié Hugo en tombant des nues.

— À cause du châtiment corporel sur personne particulièrement vulnérable, a récité Ahmed.

— Attention, a ajouté Israël. Papa a dit que Mme Lacrué avait les circonstantes, les circonstances...

— Atténuantes, l'a aidé Hugo avec un sourire au bord des yeux.

— Vu que la neige avait rendu la cour glissante, a conclu Israël.

Maria a levé le doigt mais juste un peu à cause de sa courbe qui lui retire ses forces.

— Ma maman a passé tout hier à dégager la maison vu qu'elle est gardienne comme Doberman, alors elle a la responsabilité du trottoir, elle a dit fièrement.

Hugo a attrapé le mot au vol : « Et votre RESPONSABILITÉ à vous, dans ce qui est arrivé ? Y avez-vous pensé ? Croyez-vous que c'est seulement à cause de la neige que Tiphaine s'est retrouvée à l'hôpital ?

— C'est parce que Mme Lacrué l'a secouée et après elle l'a lâchée d'un coup, a expliqué Fatima.

— Et POURQUOI Mme Lacrué a-t-elle secoué Tiphaine ?

— Parce qu'elle a perdu ses nerfs, a répondu Tibère.

— Et QUI lui a fait perdre ses nerfs ?

— C'est vous, a constaté Ludivine.

Là, Hugo en a eu la chique coupée, comme maman quand Luce avait dit à Noël que tous les malades pouvaient bien crever la gueule ouverte, surtout que Luce est à la Sécu et que Ludivine est chef de rang.

— Voilà que c'est ma faute si Tiphaine est tombée ? s'est éberlué Hugo.

— À cause du collage qu'elle voulait vous offrir avec une chanson, a constaté Romain.

— Et QUELLE chanson, s'il te plaît ?

— Taratata, a répondu la classe en chœur.

Hugo s'est levé et il est allé à la fenêtre pour réfléchir à l'abri. Après, il est revenu et sur le tableau, sous « BONNE ANNÉE » et « BIENVENUE MADAME LACRUÉ », il a écrit « TARA-TATA ».

— Quelqu'un connaît-il la signification de ce mot ? il a demandé.

C'est Anne-Laure qui a répondu.

— Ça veut dire : « Cause toujours, j'en ai rien à cirer. »

On a tous applaudi Anne-Laure qui a beaucoup de vocabulaire et Hugo nous a fait ses yeux menaçants.

— Ne croyez-vous pas qu'au lieu de jouer les petits saints il serait temps de mettre votre cœur au net ?

On a tous ri à cause des « petits saints » et de Romain qui se faisait des poitrines, sauf Tibère qui a applaudi avec enthousiasme.

— Navré de te décevoir, Tibère, a dit Hugo. Je n'ai pas dit SUR le net, j'ai dit AU net.

Tibère a ravalé son enthousiasme et Hugo nous a expliqué que mettre son cœur au net, c'était y effacer les ombres, allumer les projecteurs, accepter ses RESPONSABILI-

TÉS. Et une fois ton cœur au net, tu respires mieux, sans compter que le matin, en te réveillant, tu peux te regarder en face dans la glace.

— À présent, vous allez réfléchir en votre âme et conscience et après vous me raconterez TOUT ce qui s'est passé ici même hier matin avec Mme Lacrué, il a décidé. Bien sûr, cette conversation restera entre nous, d'accord ?

Israël s'est levé sans demander la permission, il a couru jusqu'à la porte et il l'a ouverte, pfit, d'un coup, pour s'assurer qu'il n'y avait pas d'espion dans le couloir. Après, il l'a refermée, clac ! Il est revenu à sa place et il a répondu : « D'accord » à Hugo.

On a tous réfléchi en notre âme et conscience et Maria a levé le doigt la première malgré sa courbe.

— D'abord, Mme Lacrué a dit TARATATA à Tiphaine qui vous avait fait un joli collage.

— Après, elle a dit TARATATA à Ali qui pleurait parce que son bulletin était parti dans le vide-ordures, a expliqué Fatima.

— Et elle a grondé Anne-Laure qui prenait la défense du faible en répétant TARATATA, a raconté Ludivine.

— Après, elle a fait l'hirondelle pourpre pour calmer ses nerfs mais ça n'a pas marché, a regretté Dong.

— Elle a séparé les amis, a dit Ahmed.

— Elle a mis Romain près de Dong malgré qu'il l'appelle « Banane flambée », a dit Tibère.

— Et même « rat », taratata, a ajouté Romain.

— Elle a refusé qu'on vote à main levée, a dit Baudoin.

— Alors, j'ai dit : « Putain, y fa chier celle-là », et elle m'a mise à la porte, a annoncé Anne-Laure en son âme et conscience.

— Et puis la récré a sonné et on est tous descendus, voilà, a conclu Maria.

On a pensé que c'était fini vu qu'Hugo avait dit : « ici même », mais il a changé d'avis et il a demandé de sa plus grosse voix.

— Et pendant la récréation ?

J'ai regardé ce que j'avais pas réussi à dire à grand-mère ni à maman, même que ça m'avait empêchée de dormir. Et, cette fois, j'ai pas laissé passer l'heure.

— On s'est vengés, j'ai dit.

— C'est moi qui ai eu l'idée pour la chanson, s'est confessé Romain.

— Et moi pour Walt Disney, a avoué Tibère.

— On a remplacé Cruella qu'on n'avait pas le droit de prononcer par Taratata, a reconnu Anne-Laure.

— On a tous aboyé, a crié la classe.

— Et c'est comme ça que Mme Lacrué a perdu ses nerfs et qu'elle a donné son châtiment corporel à Tiphaine, a dit Ahmed.

— Avec les circonstances atténuantes, a conclu Israël.

On était tous supercontents d'avoir mis notre cœur au net, on a commencé à faire la ola à Hugo, quand la porte s'est ouverte, et qui sont entrées ? Mme la directrice et Tiphaine. Tiphaine avec un gros pansement sur le front et une feuille cachée derrière son dos.

On s'est tous levés comme une seule femme, même Hugo, et Mme la directrice a dit :

— Je vous ramène votre amie. Je suis heureuse de vous annoncer que l'hématome était superficiel. Tiphaine devra juste éviter la cour pendant quelque temps.

Elle a regardé les joyeuses inscriptions sur le tableau, surtout : « BIENVENUE MADAME LACRUÉ », et elle a ajouté :

— Je suis au regret de vous apprendre que Mme Lacrué a fait une rechute et qu'elle ne reviendra pas parmi nous. M. Victor a accepté la lourde tâche de vous reprendre en main.

On a applaudi avec enthousiasme le discours de Mme la directrice qui a eu l'air moyen contente et Tiphaine a couru vers Hugo et elle lui a tendu la feuille cachée derrière son dos.

— Bonne année, bonne santé, Hugo ! elle a récité.

C'était un autre collage avec une maison plus grande et pleine de gens par terre autour.

— C'est l'hôpital, elle a expliqué. Ça, c'est payé.

On a cherché Mme la directrice, mais elle avait disparu et Hugo a tapé dans ses mains avec des yeux qui souriaient en grand.

— Au travail, mauvaise troupe. Chacun reprend sa place habituelle. Ludivine, tu t'occupes du tableau.

Ludivine a pris la brosse et elle s'est appliquée jusqu'à ce qu'il n'y ait plus rien et, quand le tableau a été propre, on a eu l'impression que l'année repartait de zéro. Pour le prouver, les flocons ont recommencé à voltiger dans le ciel : des plumes, des caresses, des pardons.

Et même si c'était pas un cadeau que ses parents lui avaient fait, j'ai pensé qu'Hugo Victor et Victor Hugo c'était un peu pareil, parce que tous les deux savaient dire les nuages sur ton cœur pour t'aider ensuite à les effacer.

25

S'envoyer en l'air

Maman rit plus souvent que d'habitude et pour des bêtises. Elle se lave aussi plus souvent les cheveux et elle les rince à l'eau glacée, brrr, pour refermer leurs écailles. Elle a acheté un peigne à recourber les cils et, dans le frigo, il y a une assiette avec des sachets de thé tout mouillés, beurk, pour décongestionner ses paupières.

Et voilà qu'à la Saint-Valentin, la gardienne du 11, qui fait aussi le 9 (nous), vu qu'il n'y a pas de loge dans l'immeuble, nous a monté un bouquet de roses qui forcément ne tenait pas dans la boîte à lettres, même celle pour le courrier volumineux.

— Les plus chères, à longues tiges, madame Moreira. Et vous avez vu le nombre ? On dirait qu'on vous gâte.

Quand j'ai demandé à maman qui la gâtait, ses joues sont devenues de la couleur des roses et elle a répondu d'une voix qui mentait : « Mes collègues de travail ».

Comme si les collègues t'envoyaient autre chose que des vannes. Comme si tu te recourbais les cils pendant des heures pour les collègues et que c'était à cause des collègues que le samedi soir, au lieu de notre dîner-télé en amoureuses, maman m'expédie chez papa, grand-mère, ou Luce, même si c'est pas leur week-end sur deux.

Elle a mis les roses dans le grand vase et le vase sur la

télé, ce qui m'a pollué mes films pendant toute une semaine.

Derrière tout ça, il y a forcément un nouvel invité qu'elle tient pas à me présenter pour pas que je lui casse son coup comme avec Jean-Philippe. Je devrais être contente puisque, quand je rentre le dimanche, il n'y a plus de draps même pas sales dans le panier, ce qui veut dire que les choses se sont passées ailleurs que sur le canapé-lit du living. Mais comme ça veut dire aussi qu'un jour maman pourrait bien ne pas rentrer de là où ça s'est passé, ce n'est pas pour me rassurer.

J'ai suivi le conseil d'Hugo, j'ai allumé les projecteurs et, en mettant mon cœur au net, j'ai trouvé en mon âme et conscience que je préférais quand c'était Jean-Philippe. Maintenant, je regrette de l'avoir envoyé dans le fourgon de la police. Même si j'appréciais pas que maman l'appelle Jean-Phi, au moins on se connaissait.

J'aimerais bien pouvoir en parler à quelqu'un, mais je sais pas à qui. Luce dirait dans sa barbe un gros mot qui commence par *b*, qui finit par *r*, et qui, sur ta joue, s'appelle un baiser, c'est pour ça que les enfants préfèrent dire un bisou. Tibère appelle ça : « s'envoyer en l'air », j'aime mieux.

Vu que papa s'est pas gêné pour s'envoyer en l'air avec Églantine en même temps qu'avec maman, j'ai pas envie de lui en parler. Mes grands-parents, qui se sont mariés à l'église, ont promis à Dieu de s'envoyer en l'air seulement tous les deux ensemble alors j'ose pas. Il me reste Fatima et Maria, mes meilleures copines, mais comme elles ont leur papa sous le même toit que leurs mamans qui négligent leur physique et sont bien trop occupées avec la marmaille pour avoir des invités, ça me ferait honte de leur en parler, même si maman est mille fois plus jolie qu'elles.

Total, quand je me réveille la nuit, j'ai juste Gustave et papi Fernando à qui me confier et comme ils peuvent pas me répondre je suis pas plus avancée.

À l'école, on en met un coup vu que pour le travail

Hugo a dit que c'était le deuxième trimestre qui comptait. Pendant le premier, tu te mets en train, le troisième passe à l'as à cause des ponts qui reviennent tout le temps et du bac qui réquisitionne les locaux, bref, si tu veux passer dans la classe supérieure, c'est maintenant ou jamais.

Il y a eu deux bonnes nouvelles pour les CM1. La première, c'est que l'assistante sociale est allée rendre une visite à la famille d'Ali dans sa barre, et quand elle a vu que tout le monde dormait les uns sur les autres, elle a trouvé une chambre rien que pour lui et la troisième épouse. Maintenant, il fait ses nuits dans son lit plutôt qu'à l'école et ses résultats s'améliorent. Hugo a dit qu'on n'y était pas pour rien : comme quoi être tous frères, ça donne des résultats.

L'autre bonne nouvelle, c'est Maria qu'on n'a plus le droit d'appeler « Super », vu qu'elle a déjà perdu une taille. Mais, comme elle boit plein d'eau pour se vider de ses kilos, elle passe la moitié de sa vie sur le siège, ce qui n'est pas fameux pour son carnet, et là, comme on peut pas y aller à sa place, même tous frères, on voit pas ce qu'on pourrait faire pour améliorer.

Tiphaine, elle, a perdu son œuf de cane. Elle touche tout le temps l'endroit pour se rappeler le bon moment, comme grand-père avec les coups de règle sur ses doigts quand il était petit. Grand-mère a raison : on ne sait jamais ce qui fera un bon souvenir.

Ça m'étonnerait que l'invité mystère de maman en devienne un. Moi, l'hématome, je l'ai sur le cœur et il n'arrête pas de gonfler.

On parle de la goutte d'eau qui fait déborder le vase. Dans le mien, c'est carrément un chêne qui est tombé.

26

Un trou dans le cœur

En français, Hugo a eu une superbonne idée : on vote à main levée pour un mot et ensuite on l'étudie sous toutes ses coutures. À la fois ça t'instruit et ça t'amuse. En plus, tu étends ton vocabulaire.

Ce matin, on a voté pour l'arbre qu'on aime tous beaucoup. Comme il pousse sur toute la planète, sauf au pôle Nord, ça nous servira pour la géographie, et vu que certains vivent jusqu'à six cents ans, par exemple le chêne qui a connu des rois et des reines, sans compter les guerres, ça sera en histoire qu'on s'enrichira.

D'abord, on a cité les différentes espèces : les fruitiers qui ont bien plu à Maria parce qu'elle a droit à tous leurs fruits pour son régime, sauf ceux de l'arbre à pain qui ne pousse pas chez nous. Les forestiers qui font frissonner à cause des ombres où se cachent les ogres et les loups des contes de fées. Les arbres d'ornement que nos parents font croître dans leur jardin, leur cour et même parfois dans leur appartement, sans oublier les nains qu'on martyrise pour les empêcher de grandir.

— Quelqu'un en voit-il d'autres à ajouter ? a demandé Hugo.

— L'arbre de Noël, a trompeté Tiphaine, et on a tous ri.

Baudoin a remis sa cravate droite et il a raconté que, là où il allait en vacances, il y avait sur la place du village l'arbre de la Liberté, qu'on décorait le jour de ma naissance (le 14 juillet). Ali a parlé de l'arbre à palabres, au Mali, sous lequel on discute de la pluie et du trop beau temps avec le sorcier, et il a dit que, pour Noël, son papa lui avait offert un matériel de magie parce que la magie est la spécialité des sorciers.

Et c'est là qu'au lieu de tourner ma langue dans ma bouche j'ai levé le doigt et j'ai dit :

— L'arbre généalogique.

Il y en a un magnifique dans la salle à manger de grand-mère, avec mon nom marqué dessus.

— Un arbre très important, m'a félicitée Hugo. Si tu venais nous expliquer ça au tableau, France ?

J'y suis allée parce que j'adore être appelée au tableau et j'ai dessiné un gros arbre, genre chêne, avec plein de branches, des cases sur les branches, des racines dans le sol et un oiseau dans le ciel.

J'ai expliqué que, dans les cases de la cime, on mettait le nom de ses aïeux, dans celles du dessous, le nom de leurs enfants, encore dessous, celui des petits-enfants et tout ça te fait des oncles, des tantes, des cousins et des cousines que t'arrives même plus à compter tellement t'en as.

Après, j'ai dessiné par-ci par-là des croix pour les morts et tout le monde a ri.

— Peux-tu nous dire à présent l'utilité de l'arbre généalogique ? a demandé Hugo avec plein de sourires dans les yeux.

— Grand-père dit que comme ça on sait d'où on vient, on pousse pas de traviole et ça nous rend plus fort dans la vie.

— Bravo ! a applaudi Hugo, et j'ai été fière pour grand-père. À présent, je propose que chacun prenne une feuille et qu'il dessine son arbre, paternel ou maternel. Toi, France, tu peux continuer au tableau.

Et c'est à ce moment-là que le chêne de grand-mère a

fait déborder le vase parce que d'un coup j'ai pensé qu'avec le divorce j'avais presque rien à marquer sur mon arbre maternel, vu que maman s'est pas remariée comme papa et qu'on n'a pas le droit d'y marquer les invités. En plus, le dernier, je pouvais même pas écrire son nom sur mon agenda puisque je le connaissais pas.

— Hugo, s'est écriée Fatima en levant le doigt. France pleure !

C'était même plutôt des sanglots et vu que d'habitude j'arrive très bien à les retenir, tout le monde a arrêté de faire son arbre pour me regarder.

— Mais qu'est-ce qui t'arrive, ma France ? a demandé Hugo.

Comme il avait dit « ma » France, et qu'en plus il me soulevait le menton de force pour lire dans mes yeux, mes larmes ont redoublé, et Romain, qui oublie trop souvent son cœur, a répondu :

— Elle arrose son arbre.

— Tu n'as pas honte, Romain ? a rugi Hugo.

— Si ! a répondu Romain. – Il a ajouté : – Pardon mais c'est sorti tout seul, et tout le monde a ri, moi aussi.

— Dans l'arbre généalogique de mon papa, il y a plein de monde, celui de ma maman est presque vide, j'ai sangloté encore un peu.

Hugo a mis sa main sur mon épaule, comme il avait fait avec Ludivine pour ses deux mamans et avec Ali pour les trois épouses de son papa, même si moi j'ai pas de vrai problème avec un seul papa et une seule maman qui sont restés amis après le divorce.

— Écoute. Si tu veux, on pourra en parler tous les deux tranquillement pendant la récréation.

Baudoin a levé le doigt.

— Ma maman dit qu'il vaut mieux parler tout de suite de ce que tu as sur le cœur, sinon ça retombe au fond et ça t'empoisonne.

— Et t'as pas le cœur au net, a renchéri Fatima, ma copine.

— Allez, France ! Allez, France ! a crié toute la classe.

Cette fois, j'ai pas voulu laisser passer l'heure. J'ai repris la craie et j'ai dessiné, à côté de mon chêne, un arbrisseau de rien du tout où j'ai mis Luce en haut, maman dessous et moi en bas, c'est tout.

— Attends, a dit Hugo. Même si tes parents ont divorcé, tu dois marquer ton papa.

J'ai marqué papa dans une case près de maman au-dessus de moi.

— Et tu es sûre qu'il ne manque pas quelqu'un à côté de ta mamie ? a demandé Hugo en montrant Luce toute seule sur la cime.

Ahmed a levé le doigt.

— C'est peut-être l'insémination artificielle.

— Attention ! Ça n'empêche pas forcément de connaître le père, a averti Israël.

Ça m'a mise en colère parce que je voulais pas qu'on croie que Luce avait fait l'insémination, alors j'ai dit que j'avais un vrai papi mais que je ne l'avais pas marqué pour la bonne raison que je ne le connaissais pas.

— Tu ne connais pas ton grand-père ? a demandé Hugo d'une voix avec des gants.

— Il était garagiste, il sentait l'essence, en plus il regardait le foot à la télé en buvant de la bière au lieu d'aider à la maison, alors Luce l'a viré, j'ai expliqué.

Tous les garçons, qui aiment le foot, et Anne-Laure qui joue avec ses frères, ont crié « hou » et ça m'a été bien égal parce qu'à ce moment-là je détestais Luce, même si elle prend tous ses RTT pour me gâter. Parfois, elle est relou.

— Silence, a crié Hugo. Si UN SEUL d'entre vous interrompt une nouvelle fois France, on s'en tiendra là.

Tout le monde s'est tu pour savoir la suite et il a remis des gants sur sa voix.

— Tu peux poursuivre, ma chérie. Mais tu dois savoir que rien ne t'y oblige.

J'ai pensé que rien n'avait obligé Ali à dire qu'il avait

trois mamans. Et s'il l'avait pas dit, il serait resté dans sa barre, alors j'ai poursuivi.

— Quand Luce a viré Fernando, maman avait seulement quatre ans, alors Fernando, mon papi, sait même pas qu'elle s'est mariée, donc il sait pas que j'existe et ça me fait un trou au cœur.

— C'est pas possible, a trompeté Tiphaine. T'existes puisque t'es là et d'ailleurs je te vois.

Et elle a touché son front pour se rappeler son bon moment.

Hugo a hoché la tête. Après, il m'a pris la craie et il a fait une chose magnifique : il a marqué Fernando dans sa case comme s'il le connaissait.

— Rien ne peut te retirer ton papi, Tiphaine a raison, sans lui nous n'aurions pas le bonheur de te voir.

Tiphaine a triomphé, moi, je me suis entêtée.

— N'empêche que Luce dit que c'est pas mon papi, et quand je lui demande où il est, elle répond qu'il peut être au diable, elle s'en fout.

Anne-Laure, qui en plus d'humanitaire s'intéresse aux personnes disparues et regarde la série à la télé, a levé le doigt.

— Si tu veux, on pourra t'aider à le retrouver. En premier, il faut savoir où il est né.

— Ça, je sais, j'ai dit fièrement. À Marseille : le berceau de la famille. J'ai regardé les croix sur mon chêne et j'ai ajouté : Mais comme on y va jamais, les tombes sont à l'abandon.

— La tombe de Fernando ? a demandé Tiphaine avec un train d'avance.

Et vlan, j'ai recommencé à pleurer parce que je voulais pas parler toutes les nuits à un mort, et Tibère a dit que, pour en avoir le cœur net, j'avais qu'à lui donner le nom de famille de Fernando, et vu qu'on avait déjà le garage et le berceau, il me trouverait l'adresse en trois minutes même pas.

Et d'un seul coup, qui je vois ? Le grand-père Garagiste des sept familles débarquer sur l'écran de Tibère, et Tibère lui dit que j'existe, et j'ai très peur parce que je ne suis pas sûre du tout qu'il se mettra à genoux et me chatouillera la joue avec sa moustache. Peut-être même que lui aussi me dira d'aller au diable.

Alors j'ai crié « non », et Hugo a dit à Tibère de se mêler de ses affaires, sinon, lui, il voyait très clairement un ordinateur descendre à la cave, et Tibère l'a bouclée.

La récré a sonné. Pour une fois, elle choisissait mal son moment vu que j'avais encore besoin de vider mon cœur. Heureusement, Hugo m'a regardée au fond des yeux, il m'a dit d'une voix terrible :

— Toi, n'espère pas en avoir fini avec moi.

Ça m'a rassurée.

J'en avais pas fini non plus avec Anne-Laure qui m'a donné la brosse pour effacer le tableau, même si j'étais pas chef de rang. J'ai tout bien nettoyé, en allant aussi dans les coins, là où il y avait rien, sauf le danger qui se tapit.

Et après, dans la cour, j'ai tapé très fort la brosse contre le mur pour me débarrasser de mon rêve avec la poussière des arbres, mais je suis pas sûre d'y être arrivée parce qu'un rêve est plus fort que tout.

27

À moi l'honneur

C'est bientôt les vacances d'hiver : deux semaines. Pauvre maman, elle n'en a pas fini avec ses problèmes d'organisation. Sur mon agenda, à partir des vacances de printemps, il y a du barré tout le temps. Et maman, mes jours barrés, c'est ceux où elle travaille le plus.

Quand je lui explique qu'à mon âge je peux me débrouiller toute seule, elle galère le double pour la bonne raison que c'est quand tu te crois grand et que tu l'es pas vraiment que tu es le plus en danger. Par exemple les hommes qui écarquillent leurs muscles et, face au péril, sont plus zéro que Zorro.

Comme le mardi gras tombe pendant les vacances d'hiver, grand-mère m'a proposé de faire une fête chez elle avec mes copains.

— Tu invites qui tu veux. J'ai seulement besoin de connaître le nombre.

— Quand même pas toute l'école, a ajouté grand-père plein d'humour.

Maman s'est réjouie pour deux. D'abord pour moi qui n'ai pas le droit d'inviter plus d'une amie à la fois à la maison vu qu'elle redoute qu'on lui casse tout, et ensuite pour elle qui veut garder le lien avec les parents de papa puisque c'est pas eux qui se sont envoyés en l'air avec Églantine, mais inutile de le dire à Luce qui a la jalousie dans le sang.

On a fait ensemble la liste des invités. En premier, on a marqué Fatima et Maria, mes amies de cœur. Après, Anne-Laure et Ludivine, les inséparables. On a hésité pour Tiphaine parce qu'avec elle ça craint, mais comme grand-mère s'intéresse beaucoup à son cas depuis l'œuf de cane, on l'a mise aussi sur la liste.

En me comptant : six *girls.*

Côté *boys,* impossible de séparer Romain de Tibère, pareil pour Ahmed et Israël : quatre. J'ai ajouté Baudoin à cause de sa cravate que grand-père appréciera, et Dong parce qu'on est tous les bienvenus à l'Auberge des sept parfums, même si quand on a essayé d'y aller, un mercredi, son papa nous a renvoyés en disant que c'était complet.

Là, c'est pour Ali que j'ai hésité.

— Allez, on le marque, a décidé maman. Ça lui fera plaisir et, de toute façon, ça m'étonnerait qu'il vienne.

Sept.

Six girls et sept boys, ça donnait le chiffre maudit, mais en ajoutant grand-père et grand-mère, on arrivait à quinze, alors pas de souci à se faire.

Après, maman a passé le flambeau et je suis allée avec grand-mère choisir les cartes d'invitation dans une boutique où on vendait aussi des masques et des déguisements, et grand-mère m'a offert un masque de libellule avec des antennes en argent qui ira bien avec mon T-shirt J'ADORE.

Ensuite, on est rentrées et comme grand-père avait sa partie de golf on a été tranquilles pour remplir les cartes.

En haut, il y avait marqué : MÉGA FÊTE.

On a ajouté « MASQUÉE » à côté et, dans la place pour la personne qui invitait : FRANCE.

Dessous, il fallait mettre la date, l'heure, l'adresse et l'étage. J'ai laissé grand-mère remplir les cases et je ne sais pas pourquoi, j'ai pensé aux cases de l'arbre généalogique, même si ça n'avait rien à voir. C'est ça, les idées fixes.

Tout en bas à gauche, près de RSVP, elle a marqué son

numéro de téléphone, sa station de métro et ses deux d'au-bus. Une chance d'être si bien desservie.

Il nous restait plus qu'à coller les enveloppes et à écrire les noms dessus.

— Il faudra que tu les distribues discrètement à tes invités pour ne pas faire des envieux, m'a recommandé grand-mère quand on a eu fini.

Je les ai distribuées le samedi à midi, pile à l'heure où les vacances commençaient, et l'enveloppe de Tiphaine, qui sans ça l'aurait montrée à tout le monde, je l'ai donnée très poliment au monsieur avec une casquette qui vient la chercher en voiture quand sa maman ne peut pas. C'est le chauffeur de son papa presque ministre, et Romain râle que c'est nous qui le payons avec nos impôts, mais comme je préfère être moi que Tiphaine, tant pis pour les impôts.

Il ne me restait plus qu'à céder à l'impatience en attendant les réponses. L'impatience, c'est à la fois agréable et rageant : tu ne tiens plus en place, tu comptes les jours, les heures et même les minutes en te faisant une fête d'avance, et maman, qui oublie trop souvent qu'elle a eu mon âge, m'a dit de me calmer, c'était quand même pas le bal de la reine d'Angleterre.

Malheureusement, Ahmed et Israël seraient au ski, alors c'était non, mais un grand merci quand même de la part de leurs mamans. Toutes les autres ont répondu favo-rablement, sauf celle d'Ali qui n'a pas répondu du tout et je me suis rappelée qu'elle ne savait pas lire.

— Ne t'en fais pas, de toute façon il sera le bienvenu, a dit grand-mère qui est la générosité même.

Et, en plus de l'impatience, ça a fait du suspense, sur-tout qu'on était sorties du chiffre maudit.

Le matin de mardi gras, grand-père est venu me cher-cher à la maison à dix heures et demie. J'étais prête depuis neuf heures et je l'attendais dans le hall qui sent la pou-belle. J'avais mis mon T-shirt J'ADORE et mon jean neuf avec un trou.

Pendant le trajet, grand-père m'a annoncé une très

143

mauvaise nouvelle. Hier, papa avait téléphoné à grand-mère pour lui demander de garder Baptiste pendant qu'il emmenait Églantine en voyage d'affaires et grand-mère n'avait pas pu refuser.

J'ai crié que c'était pas juste. C'était MA fête. D'un seul coup, ça me gâchait tout. En plus, on retombait dans le mauvais chiffre à cause de ce petit con.

Grand-père m'a regardée dans le rétroviseur et il m'a annoncé la supernouvelle : on allait avoir un magicien pour nous faire des tours et après organiser des jeux.

La maman d'Anne-Laure en avait loué un, qui en plus était clown, pour l'anniversaire d'Anne-Laure et on s'était hyper bien amusés. Le nôtre, grand-père a dit qu'il serait gratos parce que c'était un copain d'enfance, à la retraite comme lui, qui en avait fait son hobby.

Un hobby, c'est un rêve que tu nourris depuis tout petit et, dès que tu as un congé, hop ! Ça fait qu'à la retraite tu es le plus heureux des hommes parce que enfin tu fais ce qui te plaît.

J'ai espéré qu'Anne-Laure, qui rêve depuis toute petite de faire humanitaire, ça pourrait être son métier, sinon elle était pas arrivée.

Dans le hall de grand-père, qui sentait la pierre de taille, il y avait une carte de visite avec son nom où c'était marqué :

« *France recevra ses amis aujourd'hui de 2 à 6 heures.
Veuillez l'excuser pour le bruit.* »

Ça m'a rendue fière.

— Et encore, tu n'as pas tout vu, a dit grand-père en roulant des yeux mystérieux.

Là, c'était sur la porte : un bouquet de ballons avec une autre carte marquée : « *Oui, oui, c'est bien ici, vous ne vous êtes pas trompé.* » J'ai éclaté de rire et grand-père a eu l'air soulagé.

L'appartement sentait la crêpe. Grand-mère en avait

fait une montagne à l'avance, même si les enfants préfèrent les faire sauter eux-mêmes dans la poêle. Elle s'était aussi faite belle en mon honneur, même trop, le contraire de Luce qui, elle, c'est pas assez. Les grands-mères savent jamais tout à fait comment s'habiller pour ne pas faire honte à leurs petits-enfants.

— Alors, Trésor, c'est le grand jour ? elle a dit tout heureuse en m'embrassant, et ce con de Baptiste, qui se cachait derrière sa jupe, est sorti déguisé en Zorro, avec un masque noir, une cape et une épée, ça grand-père s'était bien gardé de me le dire, et je l'ai détesté : mon demi-frère, pas grand-père.

Pour déjeuner, on a pique-niqué dans la cuisine vu que la table de la salle à manger était prise par le buffet, avec des assiettes, des verres, des serviettes de toutes les couleurs, et encore des ballons au lustre. J'en ai eu le cœur qui s'est envolé et j'ai eu hâte de mettre mon masque.

Le copain de grand-père est arrivé après le pique-nique, et comme sa valise de magicien, une grande valise noire plate, ne tenait pas dans l'ascenseur, il avait été obligé de prendre ses pieds et il était tellement essoufflé qu'au début il arrivait pas à parler.

À part ça, il avait des cheveux blancs, des lunettes et l'air comme tout le monde.

Après avoir retrouvé sa respiration, il a baisé la main de grand-mère, il m'a fait une courbette en disant : « Bonjour princesse », et il a tapé sur l'épaule de grand-père.

— Apprête-toi à être ébloui, mon vieux. Abracadabri, abracadabra...

Grand-père lui a montré le salon et le magicien lui a demandé de repousser tous ses meubles de marque Louis XVI contre le mur, et, à la place, on a disposé des chaises pliantes et des coussins pour les spectateurs.

— Je te nomme Grand DJ, a dit son copain à grand-père en installant sa hi-fi sur la cheminée.

Un DJ, c'est le jeune qui s'occupe de la musique dans les boîtes. Grand-père a répondu qu'il était très flatté, et son copain lui a expliqué pour les cassettes et pour les moments où il devrait les mettre.

Pendant ce temps, ce con de Baptiste courait partout en brandissant son épée et en criant qu'il allait tuer tout le monde et quand grand-mère l'a menacé de le mettre au lit, il s'est mis à pleurer, je l'ai appelé Bébé Cadum, et grand-mère a dit :

— Il est temps de te faire belle, Trésor.

On s'est enfermées dans la salle de bains et elle a commencé par me maquiller. Trois soupçons : un brun sur les cils, un rose sur les joues et un rouge sur les lèvres. Après, elle m'a aidée à attacher mon masque de libellule et je ne me suis pas reconnue dans la glace tellement je me suis trouvée jolie. J'ai été triste que maman me voie pas.

L'impatience, ça peut tourner en peur quand le grand moment est arrivé. À deux heures, la sonnette a retenti dans l'entrée et d'un seul coup j'ai eu envie de courir me cacher.

Il a fallu que grand-père me prenne la main. Il a fallu qu'il dise :

— À vous l'honneur, jeune fille.

28

Chiffre maudit

Les mamans avaient pris l'ascenseur, les enfants l'escalier, et tout le monde s'était attendu devant les ballons pour entrer en même temps.

La maman d'Anne-Laure avait ramassé les filles dans son Espace, celle de Baudoin, les garçons dans son 4×4, et Tiphaine était venue avec le chauffeur de son papa qui a retiré sa casquette et dit à grand-mère que si madame voulait bien, il reprendrait mademoiselle à six heures.

Les filles avaient des masques de princesse, des voiles de fée, des loups d'oiseau, sauf Tiphaine qui était en ange avec des ailes et une auréole, et Anne-Laure, déguisée en exploratrice avec un casque à trous et un mouchoir sur le nez contre les vents de sable.

À part Dong qui portait une couronne de soleil levant avec des rayons en argent, tous les garçons étaient en monstres : Dracula, King Kong, Frankenstein. Baptiste ne faisait plus le fier. Il s'était planqué derrière le canapé. On voyait juste son épée dépasser, bien fait !

Grand-père a baisé la main des filles en disant : « Bonjour, les fées », et, après, il a secoué vigoureusement la main des garçons : « Salut les monstres ». Tout le monde a beaucoup ri et j'ai été fière de lui.

Le seul qui manquait, c'était Ali. En l'attendant, on a

pris place sur les coussins et les chaises pliantes, et le super-marrant, c'est qu'on s'est assis près des mêmes qu'à l'école ; peut-être qu'au fond on était intimidés.

— C'est ton petit frère ? Il est mignon, m'a félicitée Fatima quand Baptiste est venu se réfugier près de moi.

Et j'ai été bien obligé de dire « oui ». Pour le frère, pas pour mignon.

Ali se faisait désirer, le copain de grand-père piaffait dans les coulisses, alors le DJ (grand-père) a fait démarrer la cassette. Une musique de mystère a parcouru le salon, on s'est tous arrêtés de parler, et le magicien a fait son entrée.

Sauf les chaussures bien cirées qui dépassaient, je ne l'ai pas reconnu. Il portait une robe bleue en satin avec des étincelles, une perruque blanche et un chapeau noir haut et luisant. Grand-mère, qui était assise dans son fauteuil habituel, a donné le signal des applaudissements et il s'est incliné avec un craquement d'os.

— Merci, merci, merci, chers spectateurs.

Après, il a ouvert avec cérémonie sa valise, posée sur un guéridon près de la cheminée. Il en a sorti des balles de couleur et il a commencé à jongler super-bien en les faisant disparaître et réapparaître, jusqu'au moment où plaf ! une balle s'est échappée de sa manche, elle a roulé jusqu'à Romain qui la lui a renvoyée, bing ! Et comme il s'y attendait pas, bang ! le magicien a lâché toutes les autres et il a dit : « Merde. »

On avait très envie de rire, mais on savait pas si on avait le droit parce qu'il n'avait pas l'air content du tout, alors le DJ (grand-père) a arrêté la cassette et il a crié : « Bravo » avec enthousiasme, comme si son copain avait fait exprès de rater son coup, et on l'a applaudi nous aussi, encore plus fort que s'il avait réussi, sauf Romain qui a dit que c'était pas un vrai magicien comme celui de chez Anne-Laure et ça m'a embêtée pour grand-père.

Le copain a vite remis les balles dans sa valise, il en a

sorti une espèce de corde à sauter, sauf que c'était une corde plus fine et sans les poignées.

— Y a-t-il un volontaire dans l'assistance ? il a demandé en faisant le serpent avec sa corde.

Sauf Romain, tout le monde a crié : « Moi », même ce con de Baptiste et on n'a pas été étonnés quand le magicien a désigné Baudoin, sans savoir que c'était à cause de sa cravate, même s'il faisait moins sérieux avec son masque de King Kong qu'il avait relevé sur son front pour profiter du spectacle sans étouffer.

Pendant que Baudoin s'avançait avec des grognements de gorille, grand-père a soufflé quelque chose à l'oreille de son copain qui a hoché son chapeau.

— Ne t'appelles-tu pas Baudoin ? il a demandé à Baudoin et on a tous été bluffés – un mot qui va avec fée – qu'il ait deviné.

— Non, a répondu Baudoin, je m'appelle King Kong.

— Suis-je étourdi, a reconnu le magicien qui avait retrouvé toute sa bonne humeur.

Il a sorti de sa valise une immense paire de ciseaux qu'il a tendue à Baudoin.

— Eh bien, cher King Kong, auriez-vous l'amabilité de couper cette cordelette à l'aide de mes ciseaux à ongles ?

On a rigolé à cause des « ciseaux à ongles » sauf Baudoin qui a dit que c'était des ciseaux parfaits pour les griffes d'un gorille, et après il a coupé la cordelette que le copain de grand-père laissait pendre, en trois morceaux qui sont tombés sur le plancher.

— Je vous remercie infiniment de votre collaboration, King Kong. Vous pouvez retourner à votre place.

Baudoin est revenu s'asseoir près de Dong en se frappant la poitrine avec ses poings, le magicien a ramassé péniblement les morceaux de la cordelette et après il les a lâchés dans son chapeau en nous demandant de les compter avec lui : « Et un, et deux, et trois », pour qu'on voie tout haut combien il y en avait.

— Puis-je emprunter votre baguette, madame la fée, il a demandé ensuite à Fatima qui est devenue rouge de fierté, et qui est allée la lui donner en agitant ses voiles et en faisant tinter ses bracelets.

Grand-père (le DJ) a fait repartir la cassette. Cette fois, la musique est montée jusqu'au plafond comme à l'église, sauf que là c'était des roulements de tambour. Le magicien a agité la baguette de Fatima sur son chapeau en disant : « Abracadabri, abricadabra », puis il a ressorti tout doucement, tout doucement, la cordelette, on a vu qu'elle s'était recollée et on a applaudi.

— C'est pas possible, a crié Tiphaine en battant des ailes. Baudoin l'a coupée, j'ai même compté les morceaux.

— Et pourtant si, mademoiselle l'ange, a répondu le copain de grand-père en retournant son chapeau sous les yeux de Tiphaine et en le secouant pour qu'elle constate, et nous aussi, qu'il n'y avait rien dedans.

Fatima a levé le doigt et elle a demandé si elle pouvait récupérer sa baguette magique pour la rendre à Paloma, sa cousine, qui faisait elle aussi plein de miracles avec. Et, pile à ce moment, on a sonné dans l'entrée, et le miracle s'est produit.

Ali, dans le déguisement de sorcier qu'il avait reçu à Noël, avec, en plus, des traits de peinture rouge et blanche sur sa figure, et Baptiste a caché la sienne dans mon T-shirt J'ADORE, même si j'adore pas qu'on me bave dessus.

— Bonjour confrère ! a dit joyeusement le magicien à Ali. Ayez l'amabilité de venir me rejoindre.

Un confrère, c'est un frère de travail, alors là, c'est Ali qu'on a applaudi pour l'encourager, surtout qu'il est sur la bonne voie depuis qu'il ne dort presque plus à l'école.

Le copain de grand-père lui a serré vigoureusement la main.

— Les sorciers ont beaucoup à faire avec la pluie, il a remarqué. Je suis sûr que tu sais très bien la faire tomber.

Ali a juste répondu « oui », en montrant la fenêtre que

la pluie tapait, alors on l'a encore applaudi, même grand-père qui m'a fait un clin d'œil de complicité.

— Eh bien moi, a soupiré le magicien, je me contente de recoller les morceaux.

Et il a fait danser la cordelette sous le nez d'Ali pendant que Tiphaine recommençait à crier que c'était pas possible, d'ailleurs elle avait vu les morceaux tomber.

Depuis que Tiphaine est allée à l'hôpital, un peu à cause de nous, on la protège, surtout Ali qui, dans sa barre, a l'habitude des gens qui se cognent dessus et restent sur le carreau.

— Je vais te montrer, il a dit à Tiphaine. Je connais le tour : il était dans ma mallette de magie à Noël.

Et il a commencé à farfouiller dans le chapeau luisant que le copain de grand-père avait posé sur le guéridon.

— Mais qu'est-ce que tu fais là, sale garnement. Arrête tout de suite, a crié le copain de grand-père en oubliant le « confrère ».

Il a voulu arracher son chapeau à Ali, mais c'était trop tard. Ali avait déjà sorti les trois morceaux de la cordelette.

— Elles étaient dans le double fond, il a expliqué. Il y a un ressort.

Il a retourné le chapeau, on a vu la languette qui pendait, et voilà qu'un lapin en est tombé. Même faux, il avait l'air vrai, alors on a applaudi Ali avec enthousiasme et Tiphaine a demandé comment le lapin avait fait pour entrer dans le chapeau, on était tous morts de rire, sauf le copain de grand-père qui a crié que les enfants d'aujourd'hui n'avaient plus le sens du merveilleux, et il s'est mis à engueuler le pauvre grand-père comme si c'était sa faute si son hobby avait raté avec nous, alors qu'avec ses petits-enfants il obtient chaque fois un triomphe.

Après, on s'est levés, même Dong qui est pacifiste, et on a fait la danse du scalp en criant « hugh », tapant des pieds et levant nos sagaies en cadence. J'ai compris pourquoi grand-mère avait mis la carte pour le bruit dans le hall, surtout que, dans l'appartement du dessous, il y a un docteur qui a besoin de silence vu qu'il est psy et qu'il soigne des fous sur son canapé.

Grand-mère a couru ouvrir la porte de la salle à manger. Elle a sonné la cloche en criant : « Goûter... Goûter » et on y est allés en dansant comme une seule femme, même si on avait une heure d'avance sur le programme.

29

Le plus beau des cadeaux

Les crêpes étaient encore tièdes sous la serviette. Chacun a pu choisir sa préférée : sucre, confiture, miel ou Nutella.

En plus des crêpes, grand-mère avait dévalisé le rayon pâtisserie du supermarché. Il y avait aussi des milliers de bonbons et, comme boisson, des jus de fruits et du Coca tant qu'on voulait.

— Où est mon petit verre de sang ? a demandé Tibère-Dracula avec ses deux longues dents pointues qui pendaient de ses lèvres et, sauf Baptiste qui continuait à me coller, tout le monde a ri.

La maman de Maria l'avait autorisée à faire une exception, vu que, sans exception, inutile d'espérer tenir sur la distance, et Maria a commandé à grand-mère une crêpe à chaque parfum.

J'avais peur de ce que grand-mère allait répondre, mais elle a dit :

— D'accord, je ferai une exception pour l'exception de Maria à condition qu'elle refasse la queue à chaque crêpe, et Maria a commencé par celle au Nutella.

Quand grand-mère a eu satisfait toutes les premières commandes, elle en a fait deux au sucre qu'elle a mises sur un plateau et elle m'a demandé de les apporter à grand-père et à son copain.

Ils étaient assis tous les deux contre le mur, l'air puni. Le copain avait retiré sa robe de magicien et sa perruque. Il avait l'air encore plus vieux qu'en arrivant, surtout sous les yeux, et j'ai été triste qu'on ait perdu le sens du merveilleux. Peut-être que Mme la directrice a raison quand elle soupire que les CM1 sont la pire classe de son établissement.

Je lui ai promis qu'il était un très bon magicien quand même, après je lui ai dit qu'on l'attendait tous avec impatience pour la boisson, mais il n'a pas répondu et je suis vite retournée goûter.

On s'est bien régalés et grand-mère me disait à l'oreille : « Bravo, Trésor, c'est une réussite », quand Tibère a crié :

— Ça y est, je l'ai ! J'ai Paoli !

Il montrait l'arbre généalogique que j'avais oublié dans l'histoire, et mon cœur est descendu parce que Paoli, c'est le nom de famille de papi Fernando que maman a tenu à garder avec celui de Luce quand elle s'est mariée.

Tous les autres enfants se sont précipités pour voir, Tibère chantait : « Paoli, Paolo, Paola », pour le graver dans sa mémoire vu que c'est plus facile en musique, j'ai crié : « T'as pas le droit, petit con », et comme il continuait de plus belle, Anne-Laure a crié encore plus fort : « Putain, y fa chier, cui-là. »

Pile à ce moment, grand-père et son copain sont entrés pour la boisson, et, bien sûr, le copain l'a pris pour lui. Il a sursauté si fort qu'il a failli tomber, grand-père l'a rattrapé, Anne-Laure a expliqué que c'était destiné à Tibère, Tibère a expliqué que c'était à cause de l'arbre généalogique, Ludivine a dit que c'était pour la case qui manquait.

Heureusement, le copain les a crus, mais ça m'a quand même gâché la fin du goûter à cause de Fernando.

Après, on est retournés au salon pour la seconde partie de la fête : les jeux de société qui sont très importants dans l'éducation vu que ça t'apprend à vivre avec les autres, sans te massacrer quand tu perds.

On a d'abord joué aux « petits papiers », où tu racontes l'histoire de M. Durand qui épouse Mme Durand. Après, tu écris ce qui se passe dans le ménage, tu plies le papier sur ta phrase pour que le suivant la voie pas, au bout tu lis à voix haute et ça fait une histoire hypermarrante, comme, à la télé, les couples qui s'étripent.

On a joué aussi au « facteur n'est pas passé, il ne passera jamais ». Là, tu accroches une lettre dans le dos d'un joueur qui doit s'en débarrasser vite fait sur le dos d'un autre, et ça continue comme ça sans que la lettre arrive jamais.

C'est quand on a joué aux « chaises musicales » que le mauvais sort s'en est mêlé.

Tu fais un rond avec autant de chaises que d'enfants, moins une. Les enfants tournent autour au son d'une musique endiablée et, quand la musique s'arrête sans prévenir, ils doivent s'asseoir en vitesse, et celui qui n'a pas de chaise a un gage, par exemple faire le poirier ou lécher le plancher.

On avait rassemblé au milieu du salon toutes les chaises de bridge qui valent pas grand-chose, plus les deux de la cuisine qui valent encore moins, mais comme le compte n'y était pas, le copain de grand-père en avait emprunté une toute petite contre le mur sans demander la permission à grand-mère.

Le DJ (grand-père) a engagé la cassette, et on a tous commencé à tourner autour des chaises comme des dingues. Quand il a arrêté la musique d'un coup, tout le monde s'est rué pour s'asseoir et, manque de pot, c'est sur la petite du mur que Tiphaine avec son train de retard et Maria avec ses quatre crêpes sont tombées toutes les deux en même temps, et crac, elle s'est cassée en mille morceaux.

Grand-mère a poussé un cri affreux. Elle s'est précipitée en gémissant que c'était une chaise Louis XVI et une grande perte. Par terre, Maria couinait qu'elle ne voulait pas faire le poirier. Tiphaine montrait ses ailes cassées en disant que ça se paierait, et grand-père a engueulé son copain pour avoir organisé ce jeu de con dans un salon d'époque.

— Ton salon d'époque, tu veux savoir où je me le mets ? a demandé le copain.

— Répète un peu, magicien de mes deux, a répondu grand-père.

— À ta disposition, crétin des Alpes, a crié encore plus fort le copain.

Ils ont rapproché leurs fronts comme les garçons à la récré quand il va y avoir du sang. Grand-mère est accourue, elle a crié elle aussi :

— Vous n'avez pas honte ? Vous êtes pires que des enfants.

On a tous applaudi même si ça avait raté pour le jeu de société et le copain est parti en claquant la porte.

Les filles ont aidé grand-mère à recueillir les débris de la chaise, même les éclats, vu que les amis de Louis XVI s'étaient assis dessus et que ça les rendait précieux.

Pendant ce temps, les garçons avaient organisé le gang anti-Zorro, et ils poursuivaient Baptiste qui pleurait toutes les larmes de son corps en m'appelant au secours. J'ai crié : « On ne touche pas à mon petit frère », et ce qui est drôle, c'est que je me suis aperçue que, bien que je le déteste, je l'aimais quand même un peu.

À six heures pile, le chauffeur de Tiphaine a sonné. On n'en revenait pas que la fête soit déjà finie.

Le chauffeur a demandé à Madame si tout s'était bien passé avec Mademoiselle et grand-mère n'a rien dit pour la chaise. Il a remercié de la part de Madame et il est reparti en emportant les morceaux d'ailes dans un sac plastique.

Après, ça a été le papa d'Ali qui a sonné. Il était magnifique dans sa robe de couleur qui lui donnait aussi l'air d'être en mardi gras, mais il n'était pas content du tout parce que la gardienne avait voulu l'empêcher de monter en disant que les étrennes étaient passées.

Grand-père lui a présenté ses excuses en lui serrant la main et il lui a dit qu'il pouvait être fier de son fils qui s'était révélé un excellent magicien. Et Ali a simplement montré à son papa la pluie qui continuait à frapper aux carreaux, pour le prouver.

— Chéri, si tu veux bien, je vais aller m'étendre un moment dans ma chambre, j'ai la migraine, a dit grand-mère à grand-père.

J'ai a-do-ré qu'elle dise « chéri » devant tout le monde. Elle nous a fait un petit au revoir de la main et elle a disparu dans le couloir.

Les deux mamans qui avaient amené mes invités sont arrivées en même temps. Tout le monde s'est dit merci, et encore merci devant l'ascenseur et ça a été le moment le plus agréable parce qu'il y avait en plus l'émotion de se quitter.

Cette fois, c'était vraiment fini. On est revenus dans le salon dévasté par les jeux de société, grand-père a fermé une seconde les yeux, après il a regardé la hi-fi que son copain avait oubliée sur la cheminée, et il a dit avec un soupir doux :

— Tu vois, jeune fille, il arrive que les grandes personnes soient pires que des enfants.

Et il est tombé sur le canapé en prenant Baptiste contre lui.

J'ai pas osé lui demander ce que c'était que le « crétin des Alpes » et je suis allée regarder les morceaux de la chaise que grand-mère avait alignés sur la table de la salle à manger, comme les os d'un animal préhistorique dans le livre d'histoire.

Je me suis rappelé quand, sur cette table, on faisait les invitations ensemble et que grand-mère avait dit que le plus beau des cadeaux c'est celui qui te coûte. Là, avec sa chaise Louis XVI, elle avait payé un max, alors, avant que grand-père me raccompagne à la maison, je suis allée dans sa chambre, je l'ai réveillée pour l'embrasser tout plein.

Ma prochaine fête, c'est la fête des grands-mères. On fera une surprise à Luce en l'invitant à La Courgette farcie, un restaurant hyper-bon tenu par des amis de maman, Léon et Martine. En plus, leur restaurant a un jardin avec des arbres anciens et des statues que Martine sculpte de ses mains. Ça fait que des ministres y viennent et qu'il faut réserver longtemps à l'avance.

En écrivant la date sur mon agenda, j'ai vu que la fête des grands-mères était le lendemain d'un jour qui s'appelle les Cendres. Comme Luce veut être incinérée, ça tombe bien. Mais maman m'a fait promettre, croix de bois, croix de fer, de surtout pas lui en parler.

30

Sauvons la planète Terre

Pâques approche à grands pas. Les jours qui rallongent le chantent avec les oiseaux et, le soir, après l'étude, quand je rentre à la maison, le ciel est encore clair, c'est super.

Lundi, Mme la directrice nous a rassemblés dans la cour, elle est montée sur les marches et elle nous a annoncé une grande nouvelle : le ministre de l'Éducation nationale, qui nous avait déjà envoyé M. Chang pour nous initier à Internet et Blandine pour nous apprendre à bien remplir notre assiette, nous offrait ce coup-là Mlle Duchemin qui nous parlerait de l'écologie. L'écologie, je connais vu que Luce est verte.

En plus, Mme la directrice a dit que le lendemain du passage de Mlle Duchemin, qui tombait un samedi, on ferait la « grande journée de la faune » dans la salle de gymnastique et que tous les élèves pourraient apporter leur animal domestique qu'on appelle aussi « animal de compagnie » quand il fait rien à la maison. À condition qu'il tienne dans une cage, un panier ou un bocal et que ce soit pas un chien, vu que le chien garde toujours un côté sauvage comme le loup son cousin.

Les élèves qui possédaient un animal étaient super-fiers et moi je me suis sentie en colère contre ma mère qui me refuse même un poisson rouge, en disant qu'elle sait très bien qui devra se taper le bocal.

Comme Mlle Duchemin avait toutes les classes à faire en une seule journée (vendredi), les CM2 nous ont accueillis chez eux. On s'est serrés comme des sardines, même Hugo et Mme Pinçonneau, la maîtresse des CM2, qui se sont assis dans la dernière rangée comme des élèves et Tibère a dit qu'ils avaient intérêt à être sages et à lever le doigt avant de parler.

Mlle Duchemin était superjolie dans sa jupe fleurie, son T-shirt muni d'un soleil et ses sandalettes décolletées, même si en avril tu dois pas te découvrir d'un fil.

Elle est restée debout, elle nous a regardés chacun à notre tour avec un grand sourire et elle a demandé :

— Qui est d'accord pour sauver la planète ?

On a tous crié « moi » avec enthousiasme, sauf Romain qui a dit tout bas que la planète pouvait bien crever, comme Luce pour les malades de la Sécu quand elle a trop bu. Romain, c'est parce qu'en ce moment il mitraille tout ce qui passe. Heureusement, Mlle Duchemin ne l'a pas entendu.

— Voilà un bon début, elle a approuvé. Nous allons à présent nous préoccuper du réchauffement.

Elle est allée au tableau où était suspendue une grande carte représentant le globe terrestre : en bleu, les mers, en vert, les forêts, en relief, les montagnes, en jaune, le reste et, tout autour, le ciel qu'elle a caressé du bout de la règle.

— Sachez que la Terre a des poumons comme tout le monde, elle nous a annoncé. Elle respire grâce à un bon gaz qui s'appelle l'ozone et qui la protège de la brûlure du soleil en l'entourant d'une serre. – Et elle a ajouté avec malice : – Je suppose que vous savez tous ce qu'est une serre.

On a encore crié « oui » en chœur, sauf Romain, et Mlle Duchemin a changé son sourire contre un soupir et elle nous a appris une très mauvaise nouvelle.

L'Homme avec un grand H, c'est-à-dire aussi la femme et les enfants, creusait jour après jour un trou dans l'ozone avec un mauvais gaz qui s'appelait « gaz carbonique », produit par ses usines, son agriculture intensive, ses voitures et ses avions. Ça donnait l'effet de serre, la canicule, les typhons, les ouragans, le désert qui s'étendait, la calotte des glaciers qui fondait, la mer qui montait, et ceux qui avaient une maison près des océans risquaient de la voir un jour engloutie.

Si Mlle Duchemin avait été vieille, moche et avec des grosses lunettes, on se serait dit qu'elle mentait pour se venger, mais comme elle avait l'air d'une grande sœur, en plus hyperjolie, on a bien été obligés de la croire et on a tous étouffé avec la Terre.

Grand-père dit que l'humour t'aide à surmonter les pires épreuves. Alors, quand Tiphaine a demandé comment ça se faisait que les glaciers avaient une culotte, on a recommencé à respirer et on s'est tous écroulés de rire, surtout les CM2 qui n'ont pas de Tiphaine dans leur classe.

Même Hugo, Mme Pinçonneau et Mlle Duchemin ont ri, mais moins, et Mlle Duchemin a expliqué à Tiphaine avec patience que les glaciers n'avaient pas une culotte, mais une calotte. Une calotte, ça veut dire un petit bonnet, et aussi, en vieux français, une baffe ou une taloche. Et là, j'ai pensé que, même avec l'humour, grand-père s'en prendrait une belle quand Les Goélands, sa maison à Trébeurden, serait engloutie par l'océan Atlantique à cause du mauvais gaz.

— L'un de vous a-t-il un témoignage à apporter au sujet de l'ozone ? a demandé Mlle Duchemin.

— Moi, a dit Alcide.

Alcide est l'honneur de l'école. On a parlé de lui dans les journaux, il est même passé à la télé quand il a remporté le championnat de vitesse de sa catégorie au Rubik's Kub. Il avait été tellement vite qu'on a mesuré son intelligence avec un QI et qu'on a découvert qu'il en avait plus que les autres. C'est pour ça qu'on l'appelle « le Cerveau ».

Comme le Cerveau vient d'Afrique comme Ali, Ali s'était assis près de lui et il le touchait tout le temps pour prouver qu'ils avaient la même couleur, et qu'Ali et Alcide, ça commençait pareil.

Le Cerveau a apporté son témoignage au sujet de l'ozone en expliquant à Mlle Duchemin que le gaz carbonique s'appelait aussi CO_2. CO_2... CM2, ça se touchait, alors on les a hués, Hugo s'est levé et il a crié qu'il avait honte de nous. On s'est arrêtés et Alcide a expliqué qu'à cause de l'effet de serre la fougère-aigle, l'ancêtre des plantes, disparaissait de nos régions au profit du kiwi, de la datte, pourquoi pas demain de la banane, sans compter le moustique-tigre qui, lui, faisait des trous dans la Sécurité sociale.

Après, il a dit super-vite, pour nous empêcher de donner notre avis, qu'il fallait éviter de manger des fraises en hiver car en hiver la fraise vient par avion, que l'avion est très vorace en énergie et qu'il fait plus de trous dans l'ozone que le paysan qui la cultive dans son champ et...

— Bravo, Alcide, nous te remercions pour ton brillant témoignage, l'a arrêté Mlle Duchemin qui semblait vachement embrouillée elle aussi à cause de la fraise qui faisait des trous dans l'ozone.

Elle nous a demandé d'applaudir le Cerveau et on l'a applaudi moyen vu qu'il nous gonfle avec son gros QI, même si c'est pas sa faute s'il est pas né comme les autres.

— Pour conclure avec l'effet de serre, a dit Mlle Duchemin, sachez que nous produisons tous, mine de rien, notre mauvais gaz personnel et qu'il faudrait songer à y remédier dans notre vie quotidienne.

Là, Baudoin a pété et on est tous morts de rire, même Hugo qui essayait de s'en empêcher mais pas Mme Pinçonneau.

Mlle Duchemin a juste souri en disant que c'était un

gaz naturel et qu'on allait en profiter pour faire une petite pause et renouveler l'air en ouvrant grandes les fenêtres.

Les bruits de la ville et ses odeurs ont déferlé dans la classe des CM2 qui ne donne pas comme nous sur la cour mais sur le boulevard. Ça leur apprendra à avoir le Cerveau. Alors on a vite refermé et on est passés à l'or bleu.

31

L'or bleu

L'or bleu, c'est l'eau. Celle qui tombe des nuages, celle des mers et des rivières, celle que tu fais couler sans y penser dans ta salle de bains pour te laver ou dans la cuisine pour la vaisselle. Et celle que tu bois : l'eau potable.

Hélas à cause de l'homme, l'or bleu est aussi en péril. Les cargos dégazent dans la mer, les usines et les producteurs intensifs empoisonnent les rivières en y déversant leurs produits gorgés de CO_2, et chacun d'entre nous gaspille l'eau potable en remplissant sa piscine avec, en arrosant ses plantes à tire-larigot et en lavant sa voiture au jet (deux cents litres), au lieu d'attendre avec patience qu'il pleuve.

Là, Anne-Laure a pris la parole et elle a dit que, pendant qu'on lavait nos voitures à l'eau potable, il y avait, dans plein d'autres pays, des malheureux qui mouraient de soif et, quand elle serait grande, elle irait construire des barrages et creuser des puits en Afrique. Et Mlle Duchemin, qui ne savait pas qu'Anne-Laure a décidé de faire humanitaire, l'a applaudie avec enthousiasme.

Il y avait longtemps que le Cerveau n'avait pas ouvert sa grande gueule. Il s'est levé et il a dit qu'en plus des fraises qu'il ne fallait pas manger en hiver pour l'effet de serre, on avait intérêt à renoncer au hamburger pour l'or bleu, vu que le hamburger, qui s'appelle aussi « steak haché », est fabriqué avec du bovin et que l'élevage du bovin dépense cent fois plus d'eau que l'élevage de la volaille.

Sauf Ali qui attend avec impatience le jour de l'escalope de dinde à la cantine, le steak haché est notre menu préféré, surtout avec du ketchup et des frites, alors on a manifesté notre désaccord en poussant des cris d'oiseaux et des mugissements de bovins, c'était super, surtout avec toutes les catastrophes qui allaient s'abattre sur l'Homme, malheureusement, Hugo et Mme Pinçonneau sont venus à la rescousse de Mlle Duchemin qui s'époumonait dans le désert. Hugo a donné un grand coup de poing sur le bureau en disant qu'on devrait avoir honte, Mme Pinçonneau nous a traités de barbares, on s'est calmés à regret et Mlle Duchemin a annoncé qu'on allait passer aux travaux pratiques.

Elle a sorti de son panier un bloc de feuilles fanées et elle a chargé une fayote du CM2 de nous en distribuer une à chacune.

C'était du vieux papier transformé en neuf, vu que le neuf assassine nos forêts qui sont les poumons du globe et où croissent des plantes en voie de disparition et les insectes précieux qui vont avec. Sur notre feuille, on a écrit les petits gestes à faire à la maison pour refermer le trou dans l'ozone, sauver l'or bleu et éduquer nos parents. Sauf Alcide avec son gros QI, qui n'avait pas besoin d'écrire pour retenir par cœur et qui nous narguait en s'exerçant au Rubik's Kub® pendant que les mots entraient tout seuls dans son cerveau.

Ensuite, Mlle Duchemin a fait quelque chose d'hyperdrôle : elle a étalé sur le bureau une culotte, un pull et des chaussettes.

— Qui veut venir toucher ? elle a demandé.

On n'était pas chauds, surtout que la culotte était horrible, alors elle a ajouté avec malice :

— N'ayez pas peur, ça ne mord pas.

On y est allés pour lui faire plaisir et parce que Hugo nous menaçait avec ses yeux, et quand elle nous a annoncé que la culotte était en pousses de bambou, le pull en bouteilles plastique et les chaussettes en crabe, ça a été le délire, surtout quand Maria a demandé si les chaussettes étaient comestibles.

— À condition que tu te draines après avec le pull en bouteilles, a répondu Romain qui trouve toujours le mot méchant à dire, et là, même le Cerveau a ri.

Pour terminer avec les travaux pratiques, on a décidé de faire chacun notre compost à la maison.

Le compost, c'est fastoche. Tu prends un pot ou un bac, ça dépend de quoi tu disposes chez toi : une cour, un balcon ou seulement un bord de fenêtre. Tu jettes dedans toutes tes ordures : tes mouchoirs usagés, les restes de ton assiette et même ton crottin de cheval si tu as la chance de vivre à la campagne. Tu touilles avec de la bonne terre, tu plantes tes graines au bon moment, tu arroses régulièrement et les fleurs ou les légumes qui raffolent du compost poussent en abondance.

Tiphaine a demandé pourquoi la poste faisait pousser des graines et sauf Romain qui a déclaré qu'il n'était pas d'accord pour manger son caca et Baudoin qui a essayé de recommencer son bruit mal poli mais qui n'y est pas arrivé, on a tous promis de faire un pot à la maison.

Après, la récré a sonné. On a remercié Mlle Duchemin et on est descendus dans la cour où on a signé en bas d'une feuille grande comme un chêne assassiné, pour féliciter le ministre de la journée écologie, l'encourager à poursuivre son action, et nous engager à tout mettre en œuvre pour sauver la planète Terre.

32

Il n'y a pas de petits gestes

J'ai couru à perdre haleine jusqu'à la maison, il n'y avait pas une minute à perdre. J'étais heureuse d'avoir une grande tâche à accomplir et à la fois j'avais très peur pour la planète et pour mes enfants.

Sur le boulevard, c'était la cata. D'abord, les réverbères étaient allumés malgré qu'on gagne chaque jour trois minutes de soleil, ensuite, personne ne pensait à arrêter son moteur. Merci pour le trou dans l'ozone.

J'ai monté l'escalier quatre à quatre. J'avais presque une heure avant le retour de maman, j'ai commencé par le plus urgent.

Il y a une chose que j'adore avec grand-mère quand on se rend visite, en vrai ou au téléphone, c'est qu'elle commence toujours par : « Alors ? » Maman, c'est plutôt : « Une minute, mon chat. »

— Alors ? a dit grand-mère.

— Alors on a un pépin, je lui ai annoncé. C'est pas sûr que mes enfants pourront profiter de Trébeurden.

— Mais qu'est-ce que tu racontes, trésor ? elle s'est écriée. Sois sûre que, tant que je serai là, tu seras la bienvenue aux Goélands.

— Ça sera pas ta faute, grand-mère, je l'ai rassurée. Ça sera à cause des glaciers qui perdent leur calotte dans la mer, alors la mer gonfle et, un jour ou l'autre, elle engloutira ta maison.

Grand-mère s'est tue un petit moment et j'ai eu peur d'y être allée trop fort pour commencer. N'oublions pas qu'elle n'est plus toute jeune. Et voilà qu'elle a éclaté de rire, et même si Mlle Duchemin nous avait prévenus que les adultes se mettent souvent la tête sous l'aile, la déception m'a pincé le cœur.

— Ne t'en fais pas, trésor, elle a dit en pouffant encore un peu. Le jour où ça se produira, on regardera ça du ciel.

— À condition que la couche d'ozone ne t'en empêche pas, j'ai répondu.

— Écoute, a dit grand-mère. Je ne comprends rien à tes histoires. Je te passe ton grand-père. On se reparlera après.

— Bonjour, jeune fille, a dit grand-père. Alors, qu'est-ce qui ne va pas ?

— Ta voiture. La galerie que tu mets sur le toit pour aller à Trébeurden.

— Ah bon ! s'est exclamé grand-père tout étonné. Et qu'est-ce qu'elle a, ma galerie ?

J'ai vite consulté ma liste.

— Elle fait faire un effort supplémentaire à ton moteur, qui consomme plus de pétrole. Pareil pour tes pneus quand ils sont pas assez gonflés. Sans compter que ton moteur, ça serait bien que tu le coupes plus souvent au lieu de le laisser tourner pour rien.

— Ma petite-fille serait-elle devenue garagiste ? a demandé grand-père avec humour, et j'ai pas apprécié.

— On essaie seulement de sauver la Terre, tu vois. D'ailleurs, ce serait bien qu'on retrouve les joies de la marche à pied et de la bicyclette.

— Quelle bonne idée ! s'est exclamé grand-père. La prochaine fois qu'on ira à Trébeurden, qu'est-ce que tu préfères : tes pieds ou ton vélo ? – Il a changé de voix et il a grogné : – Peux-tu me dire qui t'a mis ces conneries dans la tête ?

En plus de perdre son humour, voilà qu'il recommençait à jurer comme à ma fête du mardi gras, alors j'ai préféré ne pas insister. Je lui ai seulement conseillé de ne pas se mettre sa tête à lui sous l'aile, bisous. Bisous aussi à grand-mère que j'ai promis de rappeler mais là j'avais plus le temps de lui parler vu qu'il fallait que je m'occupe de l'appart' avant le retour de ma mère et j'ai raccroché.

J'ai d'abord fermé les radiateurs qui étaient brûlants et après je me suis attaquée au lustre du salon. Quatre ampoules rien que pour nous deux, c'était trois de trop. J'ai éteint le compteur dans l'entrée comme maman quand elle en change une, ensuite j'ai tiré une chaise sous le lustre, j'ai dévissé les pas utiles et je suis allée les jeter à la poubelle.

Là, maman méritait un bon point pour le tri des déchets : trois sacs – ordures ménagères, papier et verre. Ça me faciliterait les choses pour mon compost.

Le lustre réglé, j'ai rallumé le compteur et je suis passée à l'or bleu, en commençant par éviter de rincer après m'être arrêtée aux toilettes (dix litres). Évidemment, le mieux est de faire son fourbi dans la nature, mais les jardins sont rares à Paris et, en plus, des vilains messieurs guettent tes fesses derrière les buissons.

J'essayais de tourner le robinet d'arrêt d'eau sous l'évier, mais la vache me résistait quand j'ai entendu la clé tourner dans la serrure de l'entrée et j'ai couru accueillir maman.

— Oh, là, là ! quelle journée ! elle s'est exclamée en faisant voltiger son manteau. On est dans l'inventaire, tout ce que je déteste. Et on n'est pas sorti de l'auberge.

Je l'ai d'abord embrassée grave, et après j'ai saisi la perche.

— À propos d'auberge, maman, ça serait bien que tu changes ton grand magasin contre un petit commerce pour ne pas être complice du gaspillage.

Elle a écarquillé ses yeux comme des soucoupes.

— Une minute, mon chat. Complice de quoi ? Je ne comprends rien à ce que tu me racontes. Et d'abord, pourquoi on est dans le noir ?

Elle est passée au salon et elle a tout de suite repéré que le lustre avait perdu trois de ses munitions, et elle a vu aussi la chaise que j'avais oublié de remettre à sa place.

— Ne me dis pas que c'est toi ? elle s'est écriée.

— C'est pour économiser l'énergie, j'ai expliqué avec calme.

— Mais est-ce que tu te rends compte que tu aurais pu t'électrocuter ?

Ça l'a vidée. Elle est tombée sur le canapé et j'ai profité de son émotion pour lui raconter qu'on avait eu Mlle Duchemin et qu'on allait tous ensemble sauver la planète.

Elle n'a pas ri comme grand-mère, ni juré comme grand-père, mais je ne suis pas sûre qu'elle ait vraiment compris, vu qu'avant que j'aie terminé elle a couru récupérer les ampoules dans la poubelle en m'engueulant pour celle qui était cassée, après elle s'est arrêtée au petit coin et là elle m'a grondée pour pas avoir rincé. Mais le bouquet, c'est quand elle a ouvert en grand le mélangeur de la baignoire (cent cinquante litres d'eau potable) et qu'elle a versé dans l'or bleu son produit chimique sans penser qu'elle sacrifiait la nature pour de la mousse et des bulles, même si c'est coolissime.

Comme elle avait l'air usée par l'inventaire, je lui ai pas dit qu'elle ferait mieux de prendre une douche (soixante-dix litres) et de se laver les cheveux au savon de Marseille (le berceau de Fernando), plutôt qu'avec du shampoing industriel qui finit fatalement dans nos rivières et provoque l'interdiction de se baigner et la mort des poissons. Je l'ai laissée à son erreur et je suis allée appeler Luce.

Luce était dans la joie car je l'avais réservée pour la grande journée de la faune, demain matin, puisque maman travaille le samedi, et que je tenais pas à être la seule sans animal et en plus sans parents.

— J'ai tout mon temps, Francesca mia, elle s'est réjouie.

Le CO_2, elle connaissait par cœur à cause de papi Fernando qui creusait le trou dans l'ozone avec son garage et gaspillait l'or bleu avec son point « lavage automatique », alors on s'est concentrées sur la faune.

Après la récré, M. Fanucci, le prof de sciences nat était venu nous en parler et, là aussi, c'était catastrophe sur catastrophe : l'éléphant à qui tu piques son ivoire, la baleine, sa graisse, le bébé phoque, sa fourrure. Sans compter le fond des mers où les chalutiers ratissent les espèces en voie de disparition sans faire le tri, les crapauds qu'on écrase sur la route quand ils traversent en confiance pour aller se reproduire de l'autre côté, le massacre de la pipistrelle, etc.

M. Fanucci nous avait expliqué que chaque animal jouait un rôle important dans la nature et que le plus petit avait le droit de vivre et, quand Baudoin avait dit : « même les poux et les acariens », on était tous morts de rire.

Luce était d'accord avec Mlle Duchemin et M. Fanucci sur tout et après mes grands-parents paternels et maman, ça m'a fait du bien. En plus, elle m'a annoncé qu'elle avait une surprise pour moi, alors j'ai décidé de lui pardonner pour papi Fernando, vu que personne n'est parfait.

— Pourrais-tu me dire ce qui se passe avec les radiateurs ? a râlé maman qui, après son bain, avait retrouvé son peignoir glacé alors que d'habitude il est chaud à point quand elle sort de l'eau potable.

Je lui ai expliqué que je les avais fermés en attendant le chauffage solaire et qu'on pourrait songer à revenir à la bouillotte, délicieuse dans un lit, et là elle s'est mise en colère comme grand-père et j'ai pas insisté vu que Mlle Duchemin nous avait recommandé d'y aller par petites touches.

On s'est fait un plateau-télé devant les nouvelles. Ça

tombait bien : un typhon ravageait les côtes de l'Amérique et un savant parlait du trou dans l'ozone et du réchauffement de la Terre en disant pareil qu'Alcide.

Maman a soupiré que ça la gonflait, elle a zappé et pile on est tombées sur le *Festival du rire*, la même chose en drôle : des gens qui se cassaient la figure, s'inondaient et provoquaient des catastrophes par bêtise, maladresse ou ignorance.

Après le dîner, on a enregistré le film qu'on regarderait toutes les deux en amoureuses dimanche, après on s'est lavé les dents ensemble, j'ai donné l'exemple en arrêtant le robinet pendant qu'on se les brossait (cinq litres) et maman a avalé son dentifrice.

Il était presque dix heures quand elle s'est traînée jusqu'au canapé-lit. C'est dur, l'inventaire ! Sitôt la tête sur l'oreiller, plus personne. Il me restait les veilleuses à faire. Mine de rien, une veilleuse grignote elle aussi sa petite tranche d'énergie. Il y en avait tellement que je savais pas par laquelle commencer, alors j'ai carrément coupé le compteur comme pour les ampoule du lustre.

Après, j'ai plus eu qu'à rejoindre à tâtons mon animal de compagnie, Gustave, qui m'a félicitée, et on s'est endormis satisfaits du devoir accompli.

33

La grande journée de la faune

La grande journée de la faune a très mal commencé vu qu'avec maman on s'est réveillées inondées. Ça venait de la cuisine, ça traversait l'entrée, ça se faufilait dans le living, et quand maman a sauté du lit et s'est retrouvée les pieds dans l'eau, elle a poussé un cri.

Elle a voulu allumer le lustre pour voir ce qui se passait, et comme cette fois plus aucune ampoule ne marchait, elle a compris que ça venait du compteur et elle est allée, flic, floc, le remettre en marche.

— Voilà où nous ont menées tes tripatouillages d'ampoules. Tu as fait sauter l'électricité, bravo !

Le coupable de l'inondation, c'était le congélateur qui avait dégelé. On a épongé avec des serpillières et maman a dit que c'était une perte sèche malgré que ça soit mouillé, parce qu'elle venait de faire le plein de provisions et que tout était bon pour la poubelle. Elle a ajouté que ça allait nous coûter un maximum pour remettre le congélateur à la bonne température, alors j'ai pensé que c'était peut-être pas une bonne idée pour les veilleuses, surtout celle du magnétoscope, vu que notre film de dimanche soir se retrouvait à l'eau lui aussi.

Heureusement qu'à l'école c'était la fête !

Luce m'attendait devant le porche. Avec tous mes soucis, j'avais oublié la surprise et quand elle me l'a donnée, c'est les soucis que j'ai oubliés.

C'était un crapaud à pile solaire qui avait tout d'un vrai et qui coassait pour te dire « coucou » quand tu t'approchais. Justement, on avait parlé avec M. Fanucci des crapauds qui traversent la route pour se reproduire, alors ça ne pouvait pas mieux tomber.

J'ai remercié Luce doublement. Et même triplement vu qu'on devait déjà se quitter à cause du congélateur qui avait aussi inondé le voisin du dessous, handicapé à mobilité réduite, et que maman l'avait appelé en catastrophe pour qu'elle fonce à la maison s'occuper des assurances avec lui. Et comme j'avais pas gâté Luce à propos de l'arbre généalogique, ça m'arrangeait de pas avoir à la présenter aux copains.

Comme quoi du mauvais (le voisin à mobilité réduite), peut sortir du bon (le crapaud sans Luce).

Dans la salle de gym transformée en zoo, il y avait déjà foule : parents, enfants et animaux, ces derniers enfermés dans des cages, des paniers ou des bocaux. On avait dressé une estrade avec des chaises, une table et un micro, comme pour les matches de volley-ball, et Mlle Duchemin faisait l'arbitre, assise entre Mme la directrice et M. Fanucci qui arborait une cravate, mais moins belle que celle de Baudoin.

Chaque élève était encouragé à venir prendre le micro pour parler de son compagnon et du rôle précieux que ce dernier jouait dans la nature. C'était hypermarrant de le voir monter sur l'estrade, poussé par sa maman, toute fière : « Vas-y, mais si, ose... » et déclarer que son hamster, son cochon d'Inde ou son poisson rouge était le plus extraordinaire du monde, alors qu'ils étaient tous pareils et source de soucis quand tu pars en vacances et que personne veut te les garder.

La maman d'Anne-Laure et Ludivine ont aidé Anne-Laure à monter sa fourmilière d'appartement sur l'estrade. C'était une maison en verre à deux étages qu'elles ont posée avec précaution sur la table pour qu'on puisse observer les travailleuses, et Anne-Laure a expliqué au micro que les fourmis étaient toutes chef de rang et qu'en Afrique elles vous dévoraient un homme en même pas cinq minutes mais que c'était bien fait vu que l'homme se gênait pas pour dévorer la nature, et Mme la directrice a rentré ses pieds sous sa chaise.

Romain était venu sans parents mais avec un œuf de requin que son papa militaire lui avait rapporté d'une île lointaine. Il a dit fièrement que, quand son papa débarquait dans l'île, les requins pouvaient raccrocher les gants parce qu'il était le plus fort, et on a ri à cause des gants.

Vu que le samedi est une grosse journée à l'Auberge des sept parfums, Dong était venu lui aussi tout seul. Il a présenté au public son jardin zen dans un bocal avec des bambous d'eau qui attiraient le bonheur, et on l'a applaudi moyen.

La maman de Tibère fait tous les trajets avec lui à cause des prédateurs. Elle est jolie et parfumée. J'ai même reconnu *Désir*, un échantillon de ma mère.

Elle a aidé Tibère à monter son aquarium sur la table. On ne voyait que des rochers. Tibère a dit que, dessous, il y avait des tortues d'eau et que la tortue d'eau était passionnante à étudier vu qu'elle n'arrêtait pas de perpétuer l'espèce. Son seul défaut, c'était de sentir une infection, et on a compris pour le parfum de sa maman.

On l'a tous applaudie et M. Fanucci a emprunté le micro à Tibère et il a expliqué qu'en effet les animaux n'avaient qu'une seule idée en tête, se reproduire pour ne pas disparaître du globe terrestre, et là Tibère s'est penché vers le micro et il a ajouté d'une voix très drôle : « même l'homme », et Mme la directrice a vite dit : « Au suivant, s'il vous plaît. »

Le suivant était un CM2 qui nous a présenté une huître dans un nid d'algues. Il a expliqué que les coquillages souffraient eux aussi beaucoup de la pollution et qu'il fallait les protéger afin de pouvoir continuer à les déguster tout crus et en bonne santé. Après, il a dit qu'il y avait trois sortes d'huîtres : la portugaise — et on a tous applaudi Maria —, les belons et les perlières. Après, il a expliqué que l'huître était comme l'escargot, à la fois mâle, femelle et logée, ce qui était très pratique pour la reproduction.

Tibère qui était presque descendu de l'estrade est remonté à toute vitesse, il a volé le micro au CM2 qui a crié que c'était SON huître et SON tour, et Tibère a raconté que, l'autre soir, il avait vu sur Internet un monsieur qui était en même temps une dame et qui avait dit qu'il attendait avec impatience de pouvoir faire son bébé tout seul.

On était tous morts de rire, même la jolie maman de Tibère, mais pas Mme la directrice, ni les autres parents, et Hugo est allé récupérer le trouble-fête sur les marches en le menaçant de descendre ses tortues d'eau à la cave.

Enfin, un petit du CP nous a présenté sa mascotte dans un pot à confiture. On s'est approchés pour la voir de plus près et on a eu très peur en découvrant une araignée velue. Il a dit que c'était une aranéide fileuse qu'il avait apprivoisée et il nous a montré, à ses pattes, la mouche morte, enveloppée de fils blancs, pour son repas de midi.

Mais bien sûr, le clou, c'était Alcide qui l'avait apporté.

34

Saladin

Le papa du Cerveau est presque ambassadeur, alors il a un chauffeur comme le papa presque ministre de Tiphaine. Et vu que son métier l'oblige lui aussi à voyager tout le temps, accompagné de sa première épouse, c'est le chauffeur qui avait déposé Alcide devant l'école, en créant un embouteillage pour l'aider à sortir son animal de compagnie du coffre.

On ne pouvait pas voir ce que c'était, vu que la cage était recouverte d'une housse qui tombait jusqu'en bas, et quand Ali a voulu la soulever, le Cerveau l'a arrêté net en expliquant que son animal de compagnie craignait les courants d'air. D'ailleurs, il ne vivait pas dans une cage mais dans un vivarium, et la différence entre une cage et un vivarium c'est que le vivarium a l'air conditionné toute l'année.

On était très impatients qu'il nous présente le mystère, mais il a attendu que tout le monde soit passé et là, c'est Mme la directrice qui l'a appelé.

— Eh bien, Alcide, n'as-tu rien à nous montrer ?

Alcide a eu un petit soupir, comme s'il regrettait d'avoir apporté son compagnon. Il est monté sur l'estrade avec Ali qui l'a aidé à poser le vivarium sur la table, on s'est tous approchés pour voir, mais il n'a pas soulevé la housse.

— Il s'appelle Saladin et il est inoffensif, il a clamé pour commencer.

— Eh bien, nous allons tous applaudir Saladin, a dit Mme la directrice avec enthousiasme, et on a applaudi moyen parce qu'on n'aime pas trop les chouchous.

Alcide n'a toujours pas soulevé la housse. Il a dit que nous devions d'abord savoir que Saladin n'avait pas de paupières mais une peau magnifique, très prisée par les commerçants, et que pour sa nourriture il n'était pas exigeant. Il mangeait de tout, avec quand même une préférence pour les souris et les rats.

Ceux qui avaient apporté des hamsters et des cochons d'Inde, les cousins des souris et des rats, ont sifflé le Cerveau, alors Mme la directrice lui a repris le micro et cette fois elle a dit fermement :

— Eh bien, Alcide, qu'attends-tu pour nous présenter ton trésor ?

Alcide a soulevé la housse avec cérémonie, comme le magicien de grand-père quand il avait raté son coup pour la corde. Et lui aussi il l'a raté, parce que tout le monde a crié quand la corde de couleur a dressé sa tête et qu'on a découvert que le trésor était un serpent.

Ali a sauté si vite de l'estrade qu'il s'est cassé la figure, Mme la directrice s'est cachée derrière sa chaise, Mlle Duchemin derrière M. Fanucci, et toute la salle de gym a fait un bond en arrière.

— Pas la peine d'avoir peur, a crié le Cerveau. On lui a retiré ses glandes à venin, d'ailleurs, il dort dans mon lit.

Et, pour rassurer tout à fait le public, il a soulevé le couvercle du vivarium, il en a sorti son serpent et il l'a enroulé autour de son cou.

On a crié encore plus fort et des mamans se sont enfuies en entraînant de force leurs enfants et en abandonnant leurs animaux. Comme Hugo ne bougeait pas, on a compris qu'il croyait le Cerveau pour les glandes à venin et on est restés vaillamment fidèles au poste.

— Comment as-tu osé apporter cette vipère, Alcide ?

s'est indigné M. Fanucci en faisant un tout petit pas en avant, pendant que derrière sa chaise Mme la directrice criait quelque chose qu'on n'entendait pas.

— Ce n'est pas une vipère, c'est un crotale, monsieur, a expliqué Alcide très poliment au prof de sciences nat. On l'appelle aussi « serpent à sonnette » parce qu'il siffle avec sa langue et sonne avec sa queue.

Pour lui faire voir, il a posé Saladin sur l'estrade, après il a tapé du pied, Saladin s'est déroulé et il a commencé à siffler et à sonner exactement comme le Cerveau avait dit.

Là, plus personne n'osait bouger, même respirer pour ne pas signaler sa présence au crotale. Et Alcide en a profité pour reprendre le micro et expliquer à toute vitesse, comme quand tu as le feu aux fesses, que lorsque les serpents à sonnette dansaient au son de la flûte, c'était du bluff. En fait, ils étaient sourds et c'était pas la musique qu'ils entendaient, mais les vibrations qu'ils sentaient sous leur ventre quand le joueur frappait le sol en cadence sous sa djellaba.

Les vibrations, les autres animaux les sentaient aussi. Les oiseaux battaient des ailes dans leur cage, les cochons d'Inde couinaient pire que Maria, et les hamsters tournaient à toute vitesse dans leurs roues pour faire comprendre à Saladin qu'ils ne se laisseraient pas dévorer comme ça.

Saladin exécutait maintenant des huit sur l'estrade, et même M. Fanucci n'en menait pas large, alors Hugo a pris les choses en main. Il a sauté sans hésiter sur l'estrade, il s'est approché tout près du danseur, on a même cru qu'il allait le ramasser, mais non, il s'est contenté de poser la main sur l'épaule du Cerveau qui le regardait comme son pire ennemi.

— Nous te croyons, Alcide, quand tu affirmes que Saladin est inoffensif. Mais les autres animaux ne peuvent pas le savoir, alors je te propose de remettre ton compagnon dans son vivarium.

C'est Hugo qui parle le mieux de toute l'école, même mieux que Mme la directrice qui dit parfois des gros mots.

Alors le Cerveau n'a pas hésité, il a ramassé Saladin, il l'a remis dans son vivarium, et quand Hugo a rabattu le couvercle, tout le monde s'est mis à parler à la fois, Ali a couru chercher les fuyards dans la cour en criant qu'il avait toujours su que Saladin était inoffensif, et Mme la directrice est sortie de derrière sa chaise.

Elle a montré d'un doigt tremblant Saladin à Alcide.

— Co... co... comment ce boa est-il arrivé chez toi ?

— C'est pas un boa, c'est un crotale, madame la directrice, a répondu Alcide sans s'énerver. Et c'est mon papa qui me l'a rapporté du Mali dans la valise diplomatique où il peut mettre tout ce qu'il veut, même des billets, sans qu'on le contrôle.

Ahmed, qui n'avait apporté personne, est monté sur l'estrade.

— Les serpents sont très utiles pour la médecine, il a expliqué à Mme la directrice. On se sert de leur venin pour fabriquer des vaccins.

— Attention ! a dit Israël, qui était monté avec Ahmed, et n'avait apporté personne lui non plus. Si on veut sauver la faune, on ne doit pas sortir les animaux de leur milieu naturel, sinon ils refusent de se reproduire et l'espèce s'éteint.

— Exact, a répondu Alcide à Israël pendant que Tibère applaudissait pour l'espèce. C'est pour ça qu'à la maison Saladin est dans un grand vivarium avec les autres.

— AVEC LES AUTRES ? s'est étranglée Mme la directrice.

Et là, elle a perdu ses nerfs comme Mme Lacrué.

— Saladin, elle a crié, tu vas me faire le plaisir d'emmener tout de suite Alcide dans les vestiaires. Tu l'y enfermeras et après on appellera ton papa pour qu'il vienne le chercher.

— Saladin, c'est Saladin, et moi c'est Alcide, a protesté le Cerveau. Et c'est le chauffeur qui viendra nous chercher à quatre heures et quart parce que mon papa est en voyage diplomatique.

— Toi, le Cerveau, tu la boucles ! a juré Mme la directrice. AU VESTIAIRE TOUT DE SUITE.

Papa dit que les femmes ont spécialement peur des serpents. C'est sexuel. En plus, Mme la directrice était en jupe. Alors Hugo et M. Fanucci se sont chargés du vivarium, poursuivis par Alcide qui portait la housse à cause des courants d'air, et Mlle Duchemin a aidé Mme la directrice à regagner l'abri de son bureau pour téléphoner.

Avec tout ça, il était déjà midi, l'heure de pique-niquer avec son animal.

Ça a été super, sauf pour le petit CP qui avait retrouvé son aranéide fileuse recroquevillée à côté de sa mouche. Il a accusé Saladin de l'avoir fait mourir de peur et il a pleuré encore pire quand Ahmed lui a expliqué que c'était pas Saladin la cause mais son pot à confiture qu'il avait fermé hermétiquement pour la protéger et qu'elle avait péri étouffée.

Mon crapaud a eu beaucoup de succès. Tout le monde voulait le toucher pour qu'il coasse, et lui c'est sa pile solaire qui est morte.

35

Kaa Kaa menteur

C'est quand le Cerveau a voulu faire boire Saladin, en passant par la cuisine de la cantine qui communique avec les vestiaires, qu'il s'est aperçu que son crotale s'était échappé.

La nouvelle s'est répandue comme une traînée de poudre. Tout le monde s'est mis à sauter en regardant ses pieds et en criant de plus belle. Tiphaine a trompeté que c'était pas sa faute. Elle avait juste entrouvert la cage pour chanter à Saladin : « Fais un somme... fais un somme... » comme Kaa le python fredonnait à l'oreille de Mowgli pour le charmer.

On a tous vu Mowgli et Kaa à la télé. Parfois, son train de retard donne les ailes du courage à Tiphaine.

Depuis l'œuf de cane, Mme la directrice a décidé de ne plus prendre aucun risque, alors elle a appelé les pompiers sans attendre pendant que le Cerveau cherchait partout Saladin en l'appelant à pleins poumons, comme s'il n'était pas vraiment sourd.

Ça a été géant. Les pompiers sont arrivés en même pas trois minutes : deux casernes. Ils ont barré la rue avec du ruban jaune, envahi la cour en lançant des ordres gutturaux, vérifié que Saladin n'y était pas, rassemblé à l'extérieur toutes les personnes présentes, même Mme la directrice, sous la garde de Doberman qui en avait vu d'autres et clamait à la ronde que ce n'était pas un serpent qui le ferait chier dans sa culotte.

Au zoo, les animaux abandonnés étaient devenus enragés, mais aucune trace du fugitif. On a fini par le trouver à la cuisine où il avalait tout rond le chapelet de merguez pour la semaine, à côté de Consolation, la dame de la cantine, évanouie sur le carrelage.

Pendant que le docteur pompier donnait les premiers soins à Consolation, les soldats du feu ont capturé Saladin au filet. Ils l'ont bouclé dans une cage apportée par leurs soins, et quand ils ont traversé la cour avec leur butin qui sifflait et sonnait, on les a tous applaudis sauf Alcide qui suppliait qu'on n'exécute pas son crotale, et on a entendu les sirènes s'éloigner en fanfare comme dans les films.

— Ton crotale, c'est qu'une crotte, a dit Romain.

— Et toi, t'es qu'un Kaa Kaa sans cœur, a répondu Ali.

Ils n'ont pas eu le temps de se battre parce que Mme la directrice est montée sur les marches avec le pompier que les autres appelaient « chef ».

Elle a annoncé que la fête était terminée. Elle a remercié les parents pour leur compréhension, et elle a demandé que chacun regagne son domicile, sans oublier de reprendre au zoo son animal de compagnie.

Dans la rue, il ne restait qu'une petite voiture rouge munie d'un gyrophare éteint. Les pompiers avaient oublié par-ci par-là du ruban jaune qu'on s'est partagé. On a expliqué aux nombreux curieux, attirés par le drame, qu'on avait eu un serpent hypervenimeux à l'école mais que tout s'était bien terminé.

Moi, j'avais hâte de tout raconter à maman, surtout qu'elle a une peur affreuse des serpents, mais aussi parce que j'arrivais pas à mettre mon cœur au net pour Alcide. D'un côté j'étais triste qu'il ait perdu son compagnon. D'un autre, je me disais : « Ça lui apprendra », à cause de son QI plus gros que le nôtre.

Mais quand maman est rentrée d'une humeur épouvantable à cause de l'inondation et du voisin à mobilité réduite qui frappait comme un sourd son plafond, qui est notre parquet, avec sa canne pour l'obliger à descendre au plus vite constater les dégâts, j'ai pensé que c'était pas le moment, et j'ai remis à dimanche.

Dimanche, comme elle était épuisée par les événements, elle m'a presque pas écoutée.

Lundi, Mme la directrice est montée sur les marches. Elle a obtenu le silence sans difficulté. Elle a d'abord demandé INSTAMMENT aux propriétaires des hamsters et des poissons rouges qui lui étaient restés sur les bras pendant tout le week-end de venir sans faute les récupérer dans la salle de gym.

Ensuite, elle nous a annoncé qu'Alcide et Consolation seraient absents durant quelques jours afin de se remettre du choc.

À part ça, il y avait trois bonnes nouvelles.

Saladin terminerait paisiblement ses jours au zoo de Vincennes, ainsi que les autres reptiles qu'on avait trouvés chez le papa d'Alcide, plus le chimpanzé et le bébé lion.

Comme le papa d'Alcide était diplomate, il n'aurait pas de contravention, seulement un avertissement.

La lettre qu'on avait tous signée avait été remise en mains propres par Mlle Duchemin au ministre de l'Environnement.

36

Les bons et les méchants

Maman dit souvent que c'est idiot de diviser les gens entre les bons et les méchants. Les bons ne sont pas tous forcément blancs-blancs ni les méchants noirs-noirs. Parfois, tu en as qui sont gentils uniquement pour qu'on les admire et avoir des honneurs et des décorations. Au fond, ils savent bien qu'ils ne les méritent pas, alors ils ricanent tout bas en se disant : « Je les ai bien eus, ces cons. » C'est les pires parce qu'ils s'aveuglent même pas sur eux.

Les méchants, eux, le font pas forcément exprès. Pour comprendre, il faut aller farfouiller dans leur enfance. Par exemple, Mme Lacrué n'avait pas demandé à ses parents que son nom fasse Cruella à l'envers. Et, en plus, elle n'avait pas sonné la neige le matin où Tiphaine avait chanté *Les 101 Dalmatiens*. C'est ce qu'on appelle les « circonstances atténuantes ».

Nous, au CM1, on accusait Romain de ne pas avoir de cœur et d'oublier trop souvent qu'on est tous frères. Babaorum et Banane flambée (Ali et Dong) en savaient quelque chose. Moi aussi, quand il avait dit que j'arrosais mon arbre parce que je pleurais pour la case vide de papi Fernando. On ne se doutait pas que Romain avait bien un cœur mais qu'il le cachait pour pas qu'on voie qu'il se brisait en mille morceaux.

C'est juste avant les vacances de printemps, qu'on appelle aussi vacances de Pâques, à cause des cloches qui, le dimanche, répandent des œufs en chocolat dans les jardins qu'on a découvert le pot aux roses.

Pour le dernier jour d'école où on n'a pas trop la tête au travail, Hugo avait eu la superidée de nous faire décorer des œufs (pas plus de deux chacun) pour les offrir aux personnes de notre choix.

Les personnes de mon choix étaient maman et grand-mère, mais comme j'ai pas le droit de me servir du gaz toute seule, j'avais piqué deux œufs dans le casier et je les avais confiés à Maria qui m'avait invitée à participer à la cuisson.

Sa maman avait commencé par percer la poche d'air avec une grande aiguille pour empêcher qu'ils se fêlent, ensuite elle avait répandu des pelures de radis dans l'eau et ils étaient ressortis roses comme des sourires. Maria a de la chance d'avoir sa maman, qui en plus est fine cuisinière, à la maison.

À l'école, Hugo avait écrit au tableau « Joyeuses Pâques » pour créer l'ambiance et on s'était attaqués à notre premier œuf, sauf Romain qui était absent et Tibère qui faisait la tronche parce qu'il lui avait envoyé mille SMS, et comme Romain n'avait pas répondu, ça voulait dire qu'il avait eu un grave accident, peut-être même qu'il était mort, vu que Romain ne peut pas vivre sans son portable. Et voilà que, d'un seul coup, la porte s'est ouverte et qui sont apparus ? Mme la directrice avec l'absent.

— Monsieur Victor, pouvez-vous venir une seconde ? a dit Mme la directrice.

Hugo nous a fait « chut » avec son doigt et il est sorti dans le couloir pendant que Romain se dirigeait vers Tibère, tout joyeux de retrouver son frère de sang.

— Pourquoi t'es pas venu ce matin ? Et pourquoi t'as pas répondu à mes SMS ? Et où sont tes œufs pour les cloches ? a demandé Tibère.

— Cloche toi-même, a dégainé Romain. J'en ai rien à fiche de tes crétins d'œufs.

— Crétin toi-même, a répondu Tibère. Ils t'ont fait quoi, mes œufs ?

— Tu veux le savoir ?

Et pile au moment où Hugo revenait de Mme la directrice et refermait la porte, Romain a pris l'œuf que Tibère n'avait pas encore commencé à décorer et il l'a jeté contre le mur, plaf ! où il s'est écrasé en perdant son jaune qui d'ailleurs était vert.

— Mon œuf ! a crié Tibère.

Hugo a foncé vers le coupable. On s'est tous levés pour voir ce qu'il allait lui faire, mais, au lieu de lui mettre son paquet, il lui a dit d'une voix toute douce.

— Allez, Romain. Ça ne sert à rien de te venger sur les autres.

Tibère est resté bouche bée d'injustice. Romain s'est tourné vers nous d'un air furieux et il a grogné qu'il dirait rien et que d'ailleurs il s'en foutait pas mal que son papa et sa maman aient décidé de se séparer vu qu'ils se bagarraient tout le temps et que ça ne pouvait pas finir autrement.

Après, il s'est assis et il a rentré sa tête dans son cou.

Hugo nous a refait « chut » et, cette fois, il a posé la main sur l'épaule de Romain, comme il avait fait avec Ludivine pour ses deux mamans, avec Ali pour les trois épouses de son papa et avec moi pour la case vide de papi Fernando et il a dit :

— Tu dois savoir une chose, Romain. Nous sommes tous là pour t'aider.

Romain a secoué son épaule pour se débarrasser de la pitié d'Hugo et il a dit que personne ne pouvait l'aider et qu'en plus, ça ne nous regardait pas si quand sa maman ne gueulait pas après son papa, elle pleurait, et quand elle pleurait pas, elle appelait toute la terre pour dire que c'était le pire des salauds. D'ailleurs c'était pour ça que son papa avait fait sa valise et qu'il avait claqué la porte pour rejoindre l'autre traînée qui pouvait être sa fille et qui l'avait pris dans ses filets avec ce qu'on se doutait.

« L'autre traînée », ça a rappelé à Ali sa situation de famille. Il a poussé un gros soupir de solidarité et Romain l'a fusillé du regard.

— Toi, Babaorum, je t'ai rien demandé. Ni à tes frères. D'ailleurs, mon frère à moi a dit que pour la garde des enfants on aurait notre mot à dire et que ça se passerait pas comme ça.

Là, Tiphaine, qui avait fini de barbouiller son premier œuf, s'est approchée pour le faire admirer à Hugo. Elle s'est aperçue que Romain était revenu et elle lui a demandé :

— Pourquoi tu pleures ?

Et on a seulement découvert que les yeux de Romain, qui pleure jamais, étaient remplis de larmes.

Il a crié qu'il pleurait pas, il avait juste avalé une saleté et il a fait semblant de s'étouffer en toussant et en crachant par la bouche et par le nez, et Anne-Laure lui a prêté son mouchoir sans paroles en trop.

— Veux-tu que nous sortions un petit moment tous les deux, Romain ? lui a proposé Hugo qui avait l'air très malheureux lui aussi.

— Et pour quoi faire on sortirait ? a crié Romain. On n'a plus le droit d'avaler une saleté, maintenant ?

— Si ! a clamé Tibère.

Et il a tendu à Romain l'œuf qu'il avait commencé à peindre en lui disant qu'il pouvait le casser aussi s'il voulait.

Romain l'a même pas regardé. Il a dit qu'il savait très bien ce qu'il lui restait à faire : il allait fuguer pour punir ses parents. Ce soir, il ne rentrerait pas dans sa maison. Sa maman appellerait son papa qui serait bien obligé de quitter l'autre traînée pour aider la police dans ses recherches. On verrait sa photo dans les gares et à la poste. Tout le monde aurait très peur qu'un prédateur l'ait enlevé et ça leur ferait les pieds.

188

Hugo est devenu encore plus doux. Il a dit à Romain que disparaître ne réglerait pas son problème :

— On est là pour t'aider, mon grand. Et n'oublie pas qu'il y a plein de personnes autour de toi qui t'aiment, à commencer par tes parents, à continuer par ton frère et ta sœur, sans compter le reste de ta famille. Et nous ? Est-ce que par hasard on compterait pour des prunes ?

Nous, c'était pas des prunes mais des beignets qu'on recevait sur l'estomac parce qu'on avait l'impression qu'Hugo prenait Romain dans ses bras avec ses mots et on avait tous envie de pleurer pour lui, même si c'est le pire de la classe.

Tibère s'est assis tout près de Romain. Il a dit que, lui, il pouvait comprendre son malheur parce qu'il avait la chance d'avoir un papa et une maman qui s'entendaient super bien, qui se tenaient la main devant la télé et s'embrassaient derrière les portes. Surtout que les séparations, ça se terminait neuf fois sur dix par un divorce, alors l'autre traînée avait des beaux jours devant elle. Et, si Romain voulait fuguer, il le cacherait dans sa cave, il ne dirait rien à personne, il lui apporterait de l'eau et de la nourriture, et...

— Et UNE SEULE PAROLE de plus, tu prends la porte avec mon pied au cul, a rugi Hugo, et on a compris que Tibère n'était pas blanc-blanc lui non plus parce qu'Hugo dit hyperrarement des gros mots.

Avec tout ça, l'heure avait tourné, il était trop tard pour décorer nos œufs, alors Hugo nous a conseillé de les rapporter chez nous et de les peindre avec notre cœur. Il a effacé le « Joyeuses Pâques » au tableau et pile ça a sonné pour la gym.

— Allez, dégagez le terrain, mauvaise troupe, il nous a dit. Et, à Romain : Toi, je te garde avec moi.

C'est Anne-Laure qui a eu l'idée. Avant de dégager, elle est allée poser son deuxième œuf devant Romain qui lui a pas rendu son mouchoir. On a tous fait pareil, sauf Maria qui avait mangé le sien. Et quand Romain s'est retrouvé avec la récolte d'un demi-poulailler, il a encore pleuré mais cette fois c'était en riant en même temps.

Après la gym, on a une grande récré où on s'est tous retrouvés, même Romain, devant notre morceau de mur et si les autres veulent nous le voler, gare à leurs abattis.

Les monoparentaux lui ont expliqué que c'était mieux d'avoir un SEUL parent sous le toit plutôt que deux qui s'engueulent tout le temps. Les recomposés lui ont fait briller les frères, les sœurs, les grands-mères et les grands-pères que ça lui ferait en plus si ses deux parents se remariaient, sans compter les sapins et les cadeaux de Noël. Et Tibère n'a rien dit parce que, cette fois, c'était lui qu'Hugo avait gardé.

On est presque tous inscrits à l'étude et, à la sortie de l'étude, une bonne surprise nous attendait dans le hall : Mme la directrice avec le papa de Romain qui était venu chercher son fils.

On s'est raccompagnées plein de fois avec Maria et Fatima tellement on avait des choses à se dire et à la fois on était tristes pour Romain et contentes de pas être à sa place.

Quand je suis revenue à la maison, une autre bonne surprise : maman était déjà rentrée. Elle téléphonait au salon. Elle a vite raccroché en m'entendant, alors j'ai foncé près d'elle sur le canapé et j'ai profité de sa gêne pour tout lui raconter.

37
Tante

— Une minute, mon chat ! Romain, c'est bien lui qui n'arrête pas d'appeler sa mère sur son portable ? Et il n'a pas un papa militaire ?

Ça m'a fait plaisir que maman se souvienne. Surtout que souvent, quand je lui parle des copains, elle a l'air d'écouter moyen. Cool, ma mère ! Pas comme celle de Romain.

— Pour le portable, c'est sa mère qui l'a obligé et il doit l'appeler tout le temps. Au fait, mon portable à moi, je l'aurai quand ?

— Quand tu pourras payer tes communications. Et à condition de ne m'appeler qu'en cas d'urgence, a répondu maman en riant. Mais revenons à ton ami. Je n'ai rien compris à tes histoires d'œufs.

Maman aussi prépare Pâques dans son grand magasin, mais elle, c'est des œufs en carton avec un parfum dedans. S'il y en a un d'amoché, elle me le rapportera. Sans le parfum ; le parfum, c'est sa chef qui se le met à gauche.

J'ai sorti de mon sac celui que j'avais commencé à décorer et je le lui ai offert un peu à l'avance en profitant cette fois de son étonnement pour tout reprendre par le début, quand Romain avait pris le deuxième œuf de Tibère et qu'il l'avait lancé contre le mur parce que son papa était parti chez l'autre traînée.

— Veux-tu dire que les parents de Romain vont se séparer ?

— Même divorcer. C'est pour ça que Romain a les circonstances atténuantes, et qu'il va peut-être fuguer dans la cave de Tibère.

— Fuguer ? s'est écriée maman qui a très peur du mot, comme tous les parents.

— Tu sais, le divorce c'est pas facile pour les enfants, j'ai expliqué pour la punir, même si c'est pas de sa faute si papa a rencontré Églantine, comme le papa de Romain l'autre traînée.

Elle s'est précipitée sur ma joue et m'a donné un superbisou, après elle a fait semblant d'admirer l'œuf, et après, elle a dit de sa voix en l'air, comme si c'était pas important :

— À propos, devine qui m'appelait quand tu es rentrée ?

— Papa ?

— Jean-Philippe.

— Jean-Phi ?

Là, c'est elle qui a eu l'air contente que je me souvienne. Ses yeux se sont allumés grave.

— Figure-toi qu'on continue à se voir. Mais pas ici. Ici, il a très bien compris que ça te posait un problème.

Mon cœur s'est gonflé d'un coup.

— Alors c'est lui, l'invité mystère ?

Maman a ouvert de grands yeux ; parfois, on n'a pas le même langage.

— Quel invité mystère ?

— Celui pour qui tu changes pas les draps.

Là, elle a renoncé à comprendre et elle a dit d'une voix pas en l'air.

— Tu dois savoir que Jean-Philippe t'aime beaucoup.

— C'est pas possible, j'ai soupiré.

— Mais pourquoi ça ? s'est écriée maman.

— À cause du fourgon.

— Quel fourgon ?

Elle a rétréci ses yeux, et puis elle s'est rappelé et elle a éclaté de rire.

— Tu veux parler du fourgon de police ? Attends, mon chat, Jean-Philippe sait très bien que tu n'y étais pour rien. Les flics lui ont dit que c'était deux garçons de ta classe qui avaient voulu te faire une blague. Il ne t'en a pas voulu du tout. Il m'a même fait promettre de ne pas t'en parler.

C'est vrai que j'avais pas compris pourquoi maman ne m'avait pas engueulée. Cool, Jean-Phi ! J'ai pas dit que, dans les deux garçons, il y avait Romain.

Maman a repris l'œuf qu'elle avait posé sur la table et qui avait déteint sur sa main vu qu'on avait pas eu le temps de fixer la couleur. Elle l'a regardé sans le voir et elle a dit :

— Si je te parle de Jean-Philippe, c'est parce que lui aussi a divorcé. Mais il y a très longtemps, rassure-toi. Pas à cause de moi.

— Vous allez vous marier ?

Les joues de maman sont devenues encore plus roses que l'œuf.

— Pas si vite, mon chat. Pour l'instant, on apprend à mieux se connaître.

— Il a des enfants, Jean-Phi ?

— Deux : un fils et une fille, des grands. La fille est mariée, le fils vole de ses propres ailes.

— Avec tout ça, ça lui fait quel âge ?

— Quarante-six ans, a répondu maman. Mais il est resté très jeune, tu t'en souviens ?

Je m'en souvenais pas tellement, sauf que quarante-six ans, c'est carrément vieux, beaucoup plus vieux que papa, trente-six, et encore plus vieux que maman : trente-trois.

Je suis allée chercher une feuille volante dans mon classeur. J'ai pris aussi un stylo vu qu'à la maison les stylos disparaissent par enchantement, même que quand quelqu'un téléphone, tu peux pas noter la commission, alors tu l'oublies et tu te fais engueuler.

J'ai étalé la feuille sur la table et j'ai donné le stylo à maman.

— Est-ce que tu peux me faire son arbre, s'il te plaît ?

— Quel arbre ? a demandé maman qui allait de surprise en surprise. Jean-Philippe en a des quantités dans son jardin.

J'ai ri :

— Pas un de son jardin, le généalogique.

— L'arbre généalogique ? Mais comment veux-tu, mon chat ? Je ne connais qu'une toute petite partie de sa famille. Tout ce que je sais, c'est qu'il a deux frères et une sœur et que ses parents sont encore vivants, Dieu soit loué.

— Dieu ? Il est catholique ?

Maman a répondu : « oui », j'ai pensé que ça ferait plaisir à grand-mère mais pas à Luce et, comme d'un seul coup, elle avait l'air très fatiguée, j'ai repris le stylo.

— T'as qu'à dicter.

À la cime, on a mis Suzanne et Louis, les parents de Jean-Phi. Dessous, leurs quatre enfants : Jean-Phi, Paul, Hugues et Marine. Ça s'étoffait grave, comme l'arbre de grand-mère, et mon cœur s'étoffait aussi.

À côté de Jean-Phi, on a marqué son ex, Élisabeth, et, dessous, leurs deux enfants : Nicolas et Marie-Laure. Marie-Laure, ça m'a fait penser à Anne-Laure. En plus, on a deux Nicolas dans la classe, c'était trop !

Nicolas était l'aîné mais poursuivait ses études alors personne pour l'instant dans la case d'à côté. Marie-Laure était mariée avec Daniel qu'on a marqué et, dessous, surprise, Enguerrand, leur bébé.

— Six mois, a dit maman. Mignon, mignon, supermignon, tu verras.

Il y avait je ne sais pas quoi qui me choquait avec Enguerrand mais maman a arrêté les frais. Elle a pris mes deux mains et elle a dit :

— À présent, si tu veux bien me laisser la parole une minute, c'est moi qui ai une question à te poser. Ne serais-tu pas en vacances depuis ce matin, par hasard ?

— Pas par hasard, et depuis ce soir : vacances de printemps.

— Eh bien moi, j'ai des jours à prendre. Que penserait ma fille d'une petite escapade avec Jean-Philippe la semaine prochaine ?

— Une petite escapade où ?

— Dans le Midi, je vais te montrer.

Maman a sauté sur ses pieds et elle a couru chercher dans la bibliothèque la carte de France où il y a un rond autour de Trébeurden. Elle l'a dépliée sur le chêne de Jean-Philippe et tout en bas j'ai découvert un nouveau rond, autour d'un point qui s'appelait Cassis.

— C'est là, tu vois ? Tout près de la Méditerranée. La maison de famille de Jean-Phi. Ses enfants y seront, ça sera l'occasion de faire connaissance.

— La connaissance de mon demi-frère et de ma demi-sœur ?

— Doucement, a dit maman en riant aux éclats. Nous n'en sommes pas là.

Et pourtant, moi, oui, j'en étais là ! Comme si j'y pensais depuis longtemps sans le savoir. Peut-être même depuis que j'avais dessiné au tableau l'arbre de maman où on était seulement trois : Luce, maman et moi, et où Romain avait dit que je l'arrosais, avec les circonstances atténuantes.

J'ai montré le nouveau rond tout en bas de la France.

— C'est loin, Cassis ? On ira comment ? En train ou en voiture ?

— Que dirait ma princesse de prendre son baptême de l'air ? a demandé maman les yeux brillants.

— En avion ? Alors il est riche, Jean-Phi ?

— Disons qu'il a un bon boulot.

— Et c'est quoi, comme boulot ?

— Il vend des maisons et des appartements. Ça s'appelle « promoteur ».

Promoteur, ça m'a plu. Ça commence comme promesse, ça finit comme bonheur.

— Est-ce que je pourrai envoyer des cartes postales aux copains ?

— Toutes celles que tu voudras.

Alors j'ai dit « oui » pour l'escapade et, pour fêter ça, on s'est offert un super dîner-apéritif avec plein de pistaches, de biscuits salés et l'œuf de Pâques que j'ai partagé et décoré avec de la mayo en tortillons.

À l'heure d'aller au lit, j'ai emporté dans ma chambre l'arbre de Jean-Phi et la carte de France. J'ai carrément gommé Élisabeth son ex, j'ai mis maman à sa place et moi dessous.

Ça me rangeait à côté de Marie-Laure et Nicolas et c'est là que j'ai trouvé ce qui m'avait choquée quand j'avais écrit Enguerrand sous Marie-Laure. Voilà que, d'un coup, je me retrouvais tante.

Les cartes des sept familles ont dégringolé du jeu et se sont toutes mélangées. J'ai compris quand Luce disait que c'était plus comme ça aujourd'hui. Et quand j'ai découvert en plus que Cassis était tout près de Marseille, le berceau de famille de maman, ça m'a fait un peu comme si j'étais perdue dans une forêt généalogique, guettée par le loup.

38

Le moment propice

« Coucou, Fatima. J'ai pris mon baptême de l'air, c'est chouette ! Le paysage sur la carte, c'est là où Jean-Phi, qui va se marier avec maman, a sa maison de famille. En plus de la mer, il a un jardin avec une piscine chauffée, je te raconterai. J'espère que tu t'amuses bien au centre aéré. Bisous. »

« Coucou, Maria. J'ai choisi ta carte avec des fruits de mer vu qu'ici c'est la Méditerranée alors on mange que ça. On va même pêcher dans le bateau à moteur de Jean-Phi qui va se marier avec ma mère. Dommage que tu sois pas là pour ta courbe. Bisous. »

« Coucou, Anne-Laure. La plage avec des parasols sur la carte, c'est la plage du Grand Large à Marseille. Si tu traverses tu tombes pile en Afrique où tu iras quand tu feras humanitaire. Je vais être tante. Le dis pas à Ludivine. Bisous. »

J'ai envoyé plein de cartes postales, mais pas à Luce ni à mes grands-parents paternels vu que ça risque de faire des vagues quand ils apprendront pour maman et Jean-Phi. C'est pour ça que maman a décidé d'attendre le moment propice pour leur en parler.

Ça n'a pas empêché Jean-Phi de me demander sa main avec des gants blancs et un bouquet, et quand j'ai dit que c'était pas gagné, tout le monde a ri, même si c'était pas une plaisanterie. « Tout le monde », c'est aussi Nicolas et Marie-Laure dont j'ai fait la connaissance à Cassis.

Nicolas est supermignon. Il m'initiera au ski nautique l'été prochain. Marie-Laure ne ressemble pas du tout à Anne-Laure. Elle est plus douce. Elle m'a permis de donner le biberon à Enguerrand. Je me demande si les demi-neveux, ça existe. En tout cas, on n'a pas vu les trois jours passer ; c'est ça, une escapade, qui fait « pas de casse » à l'envers. T'as pas le temps ni de t'engueuler ni de t'ennuyer, et j'avais jamais entendu maman rire comme ça, comme le soleil qui nous a pas lâché les baskets.

Dans l'avion du retour, où j'étais assise entre les amoureux, j'ai eu droit à un sandwich et une boisson. Pour le sandwich, j'ai choisi « salami », pour la boisson « Coca ».

Ma deuxième semaine de vacances, qui contient le week-end de Pâques, c'est papa qui avait ma garde alors on est descendus à Trébeurden en voiture avec Églantine et mon autre demi-frère, Baptiste. On a carrément mis QUATRE heures de plus que pour Cassis. J'avais très envie de demander à papa si la prochaine fois on pourrait pas prendre l'avion au lieu de la voiture, maintenant que j'ai mon baptême de l'air, mais comme j'avais promis à maman de tenir ma langue, j'ai rien dit, même quand Églantine m'a demandé ce que j'avais fait de beau au centre aéré. Heureusement, Baptiste a vomi tout le temps et ça l'a occupée.

Presque toute ma famille paternelle était venue passer le week-end aux Goélands. On a fait des tables en fer à cheval pour les repas et des dortoirs pour dormir. C'était super.

Le dimanche de Pâques, on a commencé par aller à la messe et là j'ai eu très envie de dire à grand-mère que les parents de Jean-Phi étaient catholiques, mais c'était pas le moment propice alors je me suis retenue. Dans la messe, c'est la fin que je préfère, quand le curé écarte les bras, qu'il dit : « Donnez-vous la paix », et que tu embrasses ton voisin même si tu le connais pas.

Vu qu'à Trébeurden on a un microclimat, le plus beau soleil de la région régnait sur le jardin où les cloches ont lâché leurs œufs, plutôt que dans la maison, ce qui a permis à Corentine, la dame qui aide grand-mère quand on est tous là, de mettre son couvert à l'avance.

Il y en avait cachés partout, dans les massifs d'hortensias bleus, dans la rocaille, dans les branches basses des conifères, et même dans la brouette et dans l'arrosoir. Pour que les petits les trouvent facilement, du papier d'argent dépassait. Ils les apportaient à leurs parents comme s'ils étaient des héros. C'est con, l'enfance.

Moi, j'ai regretté d'avoir pas pu décorer mon œuf dur pour grand-mère et de l'avoir mangé avec maman à cause de Romain.

On a rassemblé toutes les trouvailles sur la table du jardin et on a partagé. Chacun un gros œuf garni, plus deux petits. Dans mon gros, il y avait de la friture et, d'un coup, ça m'a rappelé la pêche avec Jean-Phi, quand il m'avait demandé la main de ma mère, et aussi Tibère quand il avait dit que ce que tu gardes sur le cœur tombe au fond et t'empoisonne.

Ce qui m'empoisonnait, c'était une question très importante que j'avais pas le droit de poser. Cette nuit, elle m'avait même étouffée.

Après les œufs, il y a eu le déjeuner avec mon plat préféré : poulet-frites. Ça sentait le caramel vu que pour le dessert on aurait de la tarte aux pommes et que le caramel avait un peu coulé sur la cuisinière. Pour m'honorer, grand-père m'avait prise à sa droite et ça m'a étouffée encore plus.

Quand tout le monde a été servi, il a tapé sur son verre avec son couteau pour réclamer le silence et il m'a demandé :

— Alors, jeune fille, si vous nous racontiez comment s'est passée cette première semaine de vacances ?

— J'ai pris mon baptême de l'air, j'ai répondu.

Comme ma voix n'était pas pareille que d'habitude à cause du poison au fond de mon cœur, tout le monde s'est arrêté de parler.

— Ton baptême de l'air ? Veux-tu dire que tu as pris l'avion ? s'est étonné grand-père.

— Pour aller à Cassis, près de Marseille, j'ai poursuivi.

— Et tu étais avec ta maman ? a demandé papa d'une voix lui aussi pas comme d'habitude.

— Et avec Jean-Phi. On a fait une petite escapade dans sa maison de famille.

— Jean-Phi ? a demandé grand-père avec précaution.

— L'ami de maman qui est promoteur et qui a une maison et une piscine près de la Méditerranée.

Grand-père a ouvert la bouche pour continuer, mais grand-mère lui a fait « chut » avec ses yeux et elle a répété ma dernière phrase, comme dans le jeu des « petits papiers ».

— Un ami avec une piscine près de la Méditerranée ?

— Et un bateau à moteur. Il a aussi deux grands enfants de sa première épouse, et comme Marie-Laure a un bébé, ça fait que, si ça se trouve, je vais devenir tante.

— Pourquoi pas oncle ? a dit un grand cousin parce qu'il y a des crétins partout.

— La ferme, Norbert, a crié son papa qui, justement, est mon oncle.

— Veux-tu dire, trésor, que ta maman va se remarier ? a demandé grand-mère sur la pointe de la voix.

J'ai pensé que le moment propice était venu et j'ai répondu.

— Peut-être.

Un grand silence est tombé. J'ai pris mon courage à deux mains et j'ai posé la question qui empoisonnait le fond de mon cœur.

— Si maman se remarie avec Jean-Phi, est-ce que j'aurais quand même le droit de venir à Trébeurden en plus d'aller à Cassis ?

Avec le poison, les sanglots sont sortis, j'ai étouffé. Alors grand-père m'a prise dans ses bras et il a dit d'une voix magnifique, où il y avait à la fois du rire et des larmes.

— Tant que l'océan Atlantique n'aura pas englouti les Goélands, tu y seras la bienvenue.

39

La vie cabossée

À partir du mois de mai, c'est le bal des ponts. Ça commence par la fête du Travail : trois jours. Presque tout de suite, tu as le 8 Mai, la dérouillée des Allemands : re-trois jours. Ensuite, c'est l'Ascension : Jésus qui monte au Ciel : quatre jours, avec, dedans, la fête des Mères. Après, tu tombes direct dans la Pentecôte, où là, c'est le Saint-Esprit qui descend sur la tête des apôtres : trois jours.

Si je rajoutais la fête de la Musique, la fête du Cinéma, la fête des Pères et la Nuit blanche, ça faisait que, sur mon agenda, après les vacances de printemps, il y avait du barré tout le temps. C'est pour ça qu'Hugo nous avait avertis : « Si vous voulez passer dans la classe supérieure, mauvaise troupe, c'est au deuxième trimestre qu'il va falloir en mettre un coup. » On s'était carrément arrachés et, sauf Tiphaine qui devrait plus compter sur son papa presque ministre que sur son bulletin, c'était gagné pour le CM2.

En plus des ponts et des fêtes, on a eu deux grandes sorties. La sortie « plein air », où on est allés au stade en car avec M. Troley, le prof de gym. Et la sortie « musée », où on a pris le métro avec Mme Matisse, la prof de dessin, et Hugo.

Mme Matisse nous a expliqué que, dans la vie, l'art était hyperimportant parce qu'il te permettait de t'élever au-dessus de toi-même. Ça, on le savait pour la musique, en planant avec nos MP3 et les milliers de chansons qu'on arrêtait pas d'enregistrer, mais pour la peinture, sauf les tags et les BD, on connaissait pas trop. Moi, j'avais en plus les tableaux chez grand-mère et à l'église, que j'aime moyen vu que c'est trop sanglant, même pire qu'à la télé où, au moins, c'est interdit aux moins de douze ans : des massacres, des têtes coupées, des flèches ou des épées dans les corps, du sang partout, et, en plus, les personnages sont souvent tout nus ou presque.

Le musée qu'on allait visiter cet après-midi s'appelait « musée d'Art moderne ». Moderne, ça veut dire aujourd'hui, même parfois demain, nous avait expliqué Mme Matisse, alors on était superintéressés et, en plus, après on ferait une pause dans le jardin d'à côté et chacun avait emporté son goûter et une boisson.

En entrant dans le musée, on a d'abord cru qu'on s'était trompé d'endroit parce que, juste après la porte, qu'est-ce qu'on a vu ? Une cuvette de WC, en plus sans couvercle, et dedans un gros œil qui te regardait, et même Tibère a dit que c'était dégoûtant.

— Allez, les enfants, on avance, a dit Mme Matisse qui, d'un coup, avait l'air pressée.

On a avancé et là, partout sur les murs, il y avait des gribouillis pire qu'à la maternelle avec des visiteurs qui se penchaient en disant : « Ah », « Oh », « C'est étonnant », « C'est extraordinaire », et Mme Matisse nous a expliqué que derrière les gribouillis, l'artiste nous envoyait un message important qu'on devait essayer de déchiffrer par nous-mêmes.

Comme on déchiffrait pas le message, on a changé de salle et là on est arrivés devant un immense tableau tout blanc, avec juste un tout petit point jaune en haut.

Tiphaine a demandé quand le peintre allait finir son dessin et Mme Matisse a répondu qu'il était fini et que, justement, c'était le point jaune perdu dans tout le blanc qui était magnifique. Nous, on se fendait la gueule, même

Hugo qui s'était tourné pour que Mme Matisse le voie pas, alors elle s'est mise un peu en colère et elle nous a dit que c'était un chef-d'œuvre, créé par un artiste célèbre dans le monde entier, d'ailleurs le tableau valait aussi cher qu'un château.

Tibère a dit qu'il pouvait en faire dix comme ça dans sa matinée et quand il serait grand il les vendrait et après il nous inviterait tous dans ses châteaux. On a applaudi et le gardien du musée, un monsieur qui avait des chaussures cirées comme grand-père, est venu nous dire de circuler. Et, dans sa voix, on a entendu qu'il aurait bien rigolé lui aussi mais qu'il avait pas la permission.

La classe est passée dans la salle suivante. Avec Fatima et Maria, on a traîné un peu pour essayer de découvrir ce qui nous éléverait au-dessus de nous-mêmes, surtout moi qui me sens bizarre depuis que je suis rentrée de chez grand-mère, même si ça s'est hyper-bien terminé.

On s'est arrêtées toutes les trois devant un autre grand tableau, protégé par un cordon rouge, et celui-là, au moins, était rempli, même trop.

Il y avait un tas de gens cabossés avec les deux yeux du même côté, le nez à l'envers et des doigts boudins. Ils avaient tous l'air de crier en regardant en l'air. Il y avait même une espèce de bœuf tout cabossé lui aussi.

— Ça me fait peur, a dit Fatima. J'aime mieux le tableau avec le point.

— Moi, ça me donne mal au cœur, a dit Maria qui commençait son goûter. On s'en va ?

C'est là que j'ai étouffé, comme si d'un coup on avait fermé toutes les portes et toutes les fenêtres.

J'ai voulu m'enfuir, mais les personnes du tableau se sont jetées sur moi. Je suis tombée, ça s'est mis à sonner partout, même dans ma tête, et j'ai entendu Fatima crier :

— Hugo, Hugo, vite ! Picasso a fait tomber France.

D'un seul coup, il y a eu plein de jambes autour de moi qui me faisaient étouffer encore plus. Il y avait aussi les chaussures du gardien qui criait que j'avais déclenché l'alarme en tombant sur le cordon, s'il vous plaît, messieurs-dames, on s'éloigne. Et puis la voix d'Hugo dans du coton.

— France, France, ça va ?

J'ai voulu dire que c'était pas ma faute si j'étais tombée sur le cordon, mais je ne pouvais plus du tout respirer, en plus tout tournait. Une dame a dit : « Il faut l'asseoir. » On m'a assise sur une banquette. La même dame a pris ma main : « Je suis médecin, calme-toi, ça va aller. » Ça n'allait pas. En plus maintenant je toussais et j'avais mal au ventre. Puis il y a eu une galopade et un monsieur en blouse blanche m'a mis un masque sur la bouche, les fenêtres se sont rouvertes et j'ai pu respirer.

J'ai voulu me lever pour retrouver les copains mais j'y suis pas arrivée.

— Ne bouge pas, on va t'emmener à l'hôpital, a dit Hugo.

J'ai essayé de crier que je voulais pas mais seulement les larmes sont sorties à cause du masque et c'est Hugo qui a pris ma main.

— Rassure-toi, ma chérie, je vais y aller avec toi.

Ça m'a un peu rassurée, surtout le « ma chérie ».

D'autres messieurs en blanc m'ont couchée sur un brancard. On a traversé le musée à l'envers avec partout des gens qui regardaient. On est repassés devant la cuvette, j'ai senti le soleil sur ma joue quand on a descendu les marches, j'avais un peu peur de tomber malgré que j'étais ligotée.

Toute la classe était dehors avec Mme Matisse. Maria et Fatima pleuraient. Moi aussi. On a monté mon brancard dans l'ambulance, Hugo est monté aussi, et les sirènes ont retenti rien que pour nous.

Pendant le trajet, l'infirmier m'a expliqué que j'avais fait une crise d'asthme. L'asthme, je connais, un de mes grands cousins en a. Il est dispensé de gymnastique et il ne sort jamais sans son spray qu'il se vaporise dans la bouche à la moindre alerte. Une fois, il m'a permis d'essayer, mais c'est en me vaporisant que j'ai étouffé.

À l'hôpital, c'était comme dans *Urgences* qu'on regarde avec maman. Tout le monde courait dans tous les sens en criant des ordres. J'ai serré plus fort la main d'Hugo pour ne pas le perdre pendant que le plafond glissait à toute vitesse sous mes yeux.

On a atterri dans une salle pleine de mourants transpercés par des tuyaux. On m'a versée dans un lit et une très méchante infirmière, avec une seringue sur un plateau, m'a expliqué qu'elle allait me prendre un peu de sang pour l'analyser et que ça me ferait pas mal. Je me suis débattue. J'ai appelé « maman », « maman », et Hugo est revenu, avec un masque lui aussi, et il m'a dit que justement maman avait été avertie et qu'elle était en route.

La piqûre m'a fait hypermal, surtout de voir tout mon sang qui partait dans les flacons. J'ai fermé les yeux. Et puis j'ai entendu la voix de maman dans le couloir et j'ai arrêté de mourir.

Comme il a fallu attendre pour les radios, Hugo a dit qu'il allait vite retourner à l'école pour rassurer tout le monde sur mon sort. Maman l'a remercié avec des yeux spécialement brillants, les mêmes que pour Jean-Philippe, et j'ai regretté que ça soit pas plutôt avec Hugo qu'elle se marie.

En me disant au revoir, il m'a glissé à l'oreille :

— Ce Picasso, quand même, il en fait de belles !

— C'est pas lui, c'est la vie cabossée, j'ai répondu.

On a pris une radio de mes poumons. On a regardé aussi dans mes bronches. Plus tard, pendant que maman remplissait les papiers au secrétariat, un docteur avec des cheveux blancs et des lunettes est entré. Il a tiré une chaise près de mon lit et il m'a demandé :

— T'arrive-t-il d'avoir du mal à respirer, chez toi ou à l'école ?

— Tout le temps, j'ai répondu. Ça fait comme une grosse pierre sur ma poitrine qui empêche l'air de passer.

Il a hoché la tête avec l'air de comprendre ce que c'était.

— N'aurais-tu pas eu quelques petits soucis ces derniers temps ?

— Plein de soucis, et même des gros.

— Pourtant, il m'a semblé que tu avais une maman très gentille ? Et elle m'a dit que ça se passait sans problèmes avec ton papa ?

— Sauf que papa a Églantine, que maman va avoir Jean-Phi, que j'ai perdu mon papi Fernando, et que je vais devenir tante. Ça fait que ça cabosse grave dans la famille, comme Picasso.

Le docteur a souri avec ses yeux et il a ressemblé à grand-père.

— Et à l'école ? Ça cabosse aussi ?

— Même pire ! Ludivine et ses deux mamans, Ali et les trois épouses de son papa, Romain et l'autre traînée. C'est pour ça que Fatima et Maria sont mes meilleures copines : elles ont tout le monde sous le même toit, même s'il est minuscule.

Ça m'aurait bien plu de continuer à discuter avec le docteur, mais pile son portable a sonné dans sa poche. Sa figure s'est plissée comme dans *Urgences*. Il a dit : « Tout de suite. Surtout vous ne le bougez pas. J'arrive. » Il s'est levé et avant que je lui demande qui il fallait surtout pas bouger, il a caressé ma joue et il a dit :

— Toi, ma petite France, qu'est-ce qu'on parie que tu sauras mettre ta vie à l'endroit.

40

Une douceur au cœur

L'asthme est le plus souvent dû à une allergie. L'allergie est une molécule étrangère à ton organisme qui pollue tes bronches.

La pollution de tes bronches peut venir des acariens qui prolifèrent dans les matelas, les tapis et le tissu d'ameublement. Elle peut aussi venir des pollens et des graminées qui saturent l'air au printemps. Et, pour moi, c'était peut-être Gustavichou dont je suce les oreilles depuis toute petite pour m'endormir.

Il ne fallait pas croire que ma crise était venue d'un seul coup, elle couvait depuis quelque temps. La preuve : j'avais déjà du mal à respirer avant le musée. En me stressant grave avec sa vie cabossée, Picasso s'était contenté de la déclencher.

Comme c'était une crise sérieuse, j'ai dû rester à la maison, sous surveillance constante, mon dilatateur de bronches à portée de main, jusqu'à ce qu'on ait trouvé la cause.

Ça a été super ! Déjà, maman a pris trois jours pour organiser ma vie. Elle m'a installée sur le canapé-lit du salon avec les draps brodés et les oreillers assortis, et quand elle est retournée au travail, on a géré ensemble mon programme jour par jour, ce qui fait que j'ai eu de la visite et des cadeaux tout le temps.

On a casé Luce les jours d'école pour éviter qu'elle se cogne aux copains. Elle m'a apporté une superpaire de Nike, trop grandes pour qu'elles me fassent l'été. À mon âge, les pieds, c'est la ruine. À l'âge de Luce aussi, à cause des œils-de-perdrix et compagnie.

Luce était au courant pour le prochain mariage de maman, qui m'a laissée lui annoncer qu'elle allait dire « merde » à son grand magasin et travailler avec Jean-Phi comme promoteuse, un mot qui commence comme promesse et qui finit comme heureuse.

Luce a eu l'air moyen contente.

— C'est jamais bon de mettre tous ses œufs dans le même panier, elle a râlé.

À propos de panier, je me demande si elle sait que Cassis est près de Marseille, le berceau de Fernando.

Quand je lui ai appris que Jean-Phi cherchait un appart' plus grand et avec l'ascenseur pour après le mariage, elle a trouvé le moyen de gâcher ma joie.

— Tu verras qu'il va vous emmener au diable, dans un quartier mort, ton Jean-Filou.

Papa est venu sans Églantine. Il m'a apporté une trottinette qui a fait direct l'aller et le retour vu que maman tremble de me perdre depuis que j'ai failli mourir au musée d'Art moderne. C'est pas cool d'avoir une mère couveuse.

Avant la visite de mes grands-parents paternels, elle a fait le ménage à fond. J'ai été priée de pas le leur dire, mais je le leur ai dit quand même pour qu'ils apprécient l'effort : maman et la poussière, ça fait deux.

Quand j'ai fait voir mon agenda à grand-père, il a sifflé en disant que j'avais un emploi du temps de ministre. Et quand j'ai ajouté : « ministre de la Santé », il a été tout heureux de m'avoir légué son humour.

De sa part et de celle de grand-mère, j'ai reçu une

valise rose à roulettes avec un lapin dessiné dessus, pour quand j'irai à Trébeurden où l'air est spécialement bon pour la respiration. Vu qu'en août je suis déjà réservée à Cassis, où l'air est aussi spécialement bon, j'ai accepté pour juillet.

Jean-Phi est venu déjeuner le dimanche avec maman et moi. Il m'a offert le plus beau cadeau de ma vie, avec l'agenda de grand-mère : un livre-arbre généalogique à remplir soi-même, avec de la place pour les photos.

On l'a commencé après le déjeuner.

À la première page, on a mis sa famille. Au sommet, Louis et Suzanne, ses parents, dessous leurs quatre enfants, et encore dessous, à foison, mes futurs cousins et cousines.

Puis il a tourné la page et il a dit :

— Maintenant, à nous deux.

J'ai adoré.

En haut du nouvel arbre, qui m'a paru encore plus joli que le premier, il a marqué son nom et maman à côté. Dessous, Marie-Laure et Daniel, son mari, sans oublier Enguerrand. Sur la même rangée que Marie-Laure, Nicolas et moi avec la case préparée pour nos futurs époux, et plein d'autres dessous pour nos enfants.

On a collé les photos qu'il avait apportées, même une de moi, prise à Cassis en maillot de bain. Tout autour de notre arbre, il y avait du ciel bleu, du soleil, des étoiles, des oiseaux, des poissons volants. Ça m'a rappelé quand le docteur de l'hôpital avait dit que je saurais mettre ma vie à l'endroit et j'ai senti de la douceur dans mon cœur.

J'ai profité de que maman faisait la vaisselle pour poser à Jean-Phi la question qui m'étouffait depuis que Luce l'avait appelé Jean-Filou.

— Le nouvel appart', c'est vrai qu'il sera au diable et dans un quartier mort ? Parce que moi j'ai envie de garder mon école et mes copains.

Il a froncé les sourcils, un peu comme grand-père quand il rit par en dessous.

— Au diable ? Aurais-tu oublié, Francinette, que mon

métier, qui sera bientôt celui de ta maman, est de faire vivre les gens au ciel ? Fais-nous confiance.

Francinette, plus la confiance, ça a suffi à me rassurer.

Fatima, Maria, Anne-Laure et Ludivine sont venues ensemble mercredi. On s'est régalées avec les gâteaux et les friandises qu'elles avaient apportées pour mon prompt rétablissement de la part de leurs mamans. Maria a fait une exception en mon honneur. De toute façon, c'est gagné pour les deux sièges au lieu de trois dans l'avion pour le Portugal. Avec l'économie, elles s'offriront un festin.

Les garçons ne sont pas venus. Aucun. Ça fait les fiers à l'école, mais plus personne quand c'est pour rendre visite à une fille, en plus dans son lit.

Ce n'est pas par hasard qu'Hugo m'a apporté un Atelier d'artiste.

Tu le branches comme un ordinateur et tu réalises sur l'écran tes talents en dessin ou en peinture.

On s'est exercés un peu tous les deux. J'en ai profité pour lui expliquer que malgré le déménagement je resterais à l'école avec les copains et lui.

Il a arrêté de dessiner, il a pris ma main comme dans l'ambulance, et il a dit :

— Il me semble que tu es assez grande pour entendre la vérité.

J'ai répondu « non », en prenant mon dilatateur de bronches. Il m'a expliqué quand même qu'en CM2 on aurait sûrement une maîtresse, mais que ça ne l'empêcherait pas d'être là et de nous avoir à l'œil.

J'ai crié qu'on chasserait la maîtresse, comme Cruella. Il a fait semblant de rire et moi j'ai pleuré pour de vrai.

41

Ciao, big bisous, à plus

On a fini par trouver la molécule étrangère à mon organisme.

Ce n'était pas les acariens, ni les graminées, ni Gustave. C'était la drôle de plante que le voisin inondé du dessous m'avait confiée en me donnant dix euros pour que j'en prenne grand soin pendant qu'il faisait sa cure et que l'assurance de maman repeignait son appartement.

À son retour, j'aurais droit à dix euros supplémentaires si je gardais le secret.

J'avais mis la plante dans mon compost, et comme elle avait besoin de chaleur, sitôt que maman tournait le dos, je la sortais du placard à fouillis où elle range le sapin de Noël et je l'exposais au soleil.

Elle pourrissait un peu du bas mais, du haut, elle faisait des feuilles magnifiques et des bouquets de graines que j'avais goûtées en attendant ses fruits mais elles étaient superamères.

C'est l'odeur qui s'échappait du placard où maman va jamais qui a trahi sa présence.

— Mon Dieu, qu'est-ce que c'est que cette horreur ? elle a crié en découvrant la plante du voisin dans les bras du sapin.

Je pouvais plus garder le secret, alors je lui ai tout

expliqué, en évitant de parler des dix euros vu qu'un service c'est gratos ou pas.

Maman lui a arraché une feuille et un bouquet de graines en se bouchant le nez, et elle a couru les apporter au labo qui, lui, s'arrachait les cheveux parce qu'ils arrivaient pas à trouver mon allergie.

C'était madame ! Elle s'appelait Marie-Jeanne, un nom de personne, et aussi Cannabis et Shit, j'aime moins. Tu manges pas ses graines, tu fumes ses feuilles. Ça soulage tes douleurs, comme celles du voisin à mobilité réduite, qui a perdu la moitié d'une jambe dans une explosion et souffre du pied parti en fumée.

Comme la marie-jeanne est une drogue, tu n'as pas le droit de la cultiver en appartement, c'est pour ça que le voisin m'avait demandé de garder le secret.

Maman a carrément foutu la plante à la poubelle avec mon compost, plus le sapin de Noël qu'elle avait contaminé. Et moi j'ai perdu mes dix euros pour quand il reviendra de sa cure. De toute façon, j'espère qu'on aura déménagé parce que, sur sa porte, il y a une convocation à se rendre à la police dès son retour et que je tiens pas à me faire engueuler.

Heureusement, du bon peut toujours sortir du mauvais, et quand je suis rentrée à l'école, juste avant les vacances, maman m'a enfin offert mon portable, avec son numéro en mémoire et l'ordre de l'appeler tout le temps pour la rassurer sur mon sort, comme la maman de Romain.

La dernière semaine, ont est allés de fête en fête. La plus belle a été celle des CM1 pour Hugo. La maman d'Anne-Laure s'était chargée de rassembler les fonds. Ça faisait une coquette somme, surtout grâce à la générosité du papa de Tiphaine, qui a réussi son passage en CM2. On a offert à Hugo une semaine d'évasion, vers le pays de son choix, à échanger contre un bon dans une agence de voyages.

C'est moi qui ai été chargée de lui réciter le poème

« Pour faire le portrait d'un oiseau », de Jacques Prévert, qui est comme dessiner la liberté.

Le dernier matin, Mme la directrice est montée sur les marches. Elle a dit que, dans l'ensemble, elle était fière de nous, elle nous a souhaité un bon été, en espérant nous voir tous revenir en pleine forme. Et elle a aussi remercié nos professeurs. Consolation et Doberman.

En bas de mon bulletin, il y a écrit de sa main : « France est un excellent élément, surtout en français. » Ça s'appelle réussir son année.

On s'est tous dit adieu sur le trottoir. On était à la fois heureux de partir en vacances et tristes de se quitter, et j'ai senti dans ma poitrine que c'était peut-être ça être tous frères.

Juste avant de monter dans la voiture de son papa, qui avait une montagne de valises sur sa galerie, merci pour le trou dans l'ozone, Tibère m'a donné une feuille pliée en quatre en me faisant jurer de ne pas l'ouvrir avant la maison.

Je l'ai ouverte dans l'escalier, là, j'avais le droit. Il y avait marqué dessus un nom : Paoli, une adresse : rue des Héros à Marseille, et un numéro de portable.

Ceux de mon papi Fernando.

Je me suis assise sur une marche tellement mon cœur battait et j'ai failli appeler maman. Et puis j'ai entendu Hugo quand il disait que j'étais souvent dans la lune et qu'il se demandait ce que j'y fabriquais.

En fait, j'y fabrique du rêve, par exemple que je me marie avec lui, ou que papi Fernando chatouille ma joue avec sa moustache. Et comme je suis pas un héros, j'ai décidé de rester dans la lune pour le moment.

Dans ma chambre, j'ai recopié la feuille de Tibère sur mon agenda, à F, juste sous Fatima qui, elle, m'a glissé à l'oreille que j'avais raison d'attendre de grandir encore un peu.

Aujourd'hui on est le 6 juillet. Maman est partie finir son préavis à son grand magasin. Grand-père viendra à onze heures me chercher pour m'emmener à Trébeurden. Dans huit jours, j'aurai dix ans. Il y aura des feux d'artifice partout pour moi et pour la France.

Dans ma valise rose à roulettes, j'ai mis mon nouvel arbre généalogique, mon agenda avec les adresses des copains et leurs numéros pour les SMS. Gustavichou est dans un sac à part. J'ai accroché mon portable à mon cou. J'en connais une qui va faire la grimace.

Mais voilà qu'on sonne. C'est sûrement grand-père. Ciao, big bisous, à plus.

Table

La photocomposition de cet ouvrage
a été réalisée par
GRAPHIC HAINAUT
59163 Condé-sur-l'Escaut

Cet ouvrage a été imprimé par

FIRMIN DIDOT

GROUPE CPI

Mesnil-sur-l'Estrée

*pour le compte des Éditions Robert Laffont
24, avenue Marceau, 75008 Paris
en mars 2007*

Dépôt légal : avril 2007
N° d'édition : 47850/01 - N° d'impression : 84478
Imprimé en France